HELYNT

HELYNT Y TWLL YN Y WAL

gan
Malorie Blackman

Addasiad
Iola Jôns

Cyhoeddwyd gan

Cyhoeddwyd gan Honno
'Ailsa Craig', Heol y Cawl, Dinas Powys
Bro Morgannwg, CF6 4AH

Teitl gwreiddiol: **Operation Gadgetman**
Cyhoeddwyd gyntaf yn 1993 gan Transworld Publishers Ltd,
61-63 Uxbridge Road, Ealing, Llundain W5 5SA

Argraffiad Cymraeg cyntaf 1999

ISBN 1 870206 320

Dymuna'r cyhoeddwyr gydnabod cymorth
Adrannau Cyngor Llyfrau Cymru.

Cyhoeddwyd dan gynllun comisiynu
Cyngor Llyfrau Cymru.

Argraffwyd gan
Wasg Dinefwr, Llandybïe, Sir Gaerfyrddin

Cynnwys

Pennod 1

Arbrawf Bach!

BWM! WIS! BANG!

Ysgydwodd y tŷ i'w seiliau a chleciodd y ffenestri'n swnllyd. Roedd Teclyn-ddyn wrthi eto! Safodd Ffiffi'n llonydd i wrando am ennyd. Rhedodd o'r ystafell ymolchi a rhuthro i lawr y grisiau, a'i brws dannedd yn ei llaw.

'Dad! Dad, be goblyn sy'n digwydd?' gwaeddodd Ffiffi. Sgrechiodd chwibaniad uchel drwy'r tŷ unwaith eto. Rhedodd Ffiffi i'r gegin.

BWWM! WISSS!

'Aaaa!' lluchiodd Ffiffi ei hun ar lawr y gegin.

Cael a chael oedd hi hefyd! Hyrddiodd rhywbeth bach melyngoch drwy ffenest agored y gegin a saethu heibio'i phen, cyn plymio i mewn i baced o greision ŷd.

BWWWM!

Ysgydwodd Ffiffi ei phen wrth godi ar ei thraed. Rhwydd hynt i'w thad ddinistrio ei weithdy pe mynnai – ac fe wnâi hynny'n aml – ond a oedd yn *rhaid* iddo ddinistrio'r gegin hefyd? Roedd gweithdy'i thad yng ngwaelod yr ardd, ond weithiau doedd fan'no ddim yn ddigon pell. Nid oedd ots gan Ffiffi – y rhan fwyaf o'r amser! – mai dyfeisiwr oedd ei thad, ond a oedd yn *rhaid* iddo wneud cymaint o fôr a mynydd o'r peth?

'Ffiffi, wyt ti'n iawn?' gwaeddodd ei thad drwy ffenest y gegin.

'Ydw, Dad,' atebodd Ffiffi'n flin. 'Be ar y ddaear ydach chi'n neud? Ddwedsoch chi ddim wrtha i fod eich bisgedi anifeilaidd i fod i ffrwydro fel 'na!'

'Tydyn nhw ddim! Mi wnes i gamgymeriad efo'r cymysgedd gyrru. Well i mi rwystro'r gweddill ohonyn nhw rhag ffrwydro hefyd! Hwyl!' Cychwynnodd tad Ffiffi i lawr yr ardd, yna stopiodd yn stond a throi ar ei sawdl yn ôl i'r tŷ. 'Ffiffi,' meddai, ym . . . wnei di ddim sôn gair wrth dy ffrindia am be ddigwyddodd nos Fercher, na wnei?'

'Na wna', Dad.'

'Ein cyfrinach fach ni, ia?'

'Ia,' cytunodd Ffiffi. Fel petai hi *eisiau* dweud gair wrth rywun, wir. Dim ffiars o beryg!

Aeth Ffiffi allan i'r cyntedd. Clywodd ffrwydrad arall y tu ôl iddi. Cododd ei haeliau tua'r nenfwd, a cherddodd yn gyflymach.

Does gen i ddim amser i falu awyr fel hyn. Mae'n rhaid i mi baratoi i fynd i'r ysgol, meddyliodd Ffiffi'n benderfynol.

Roedd hi wrthi'n cychwyn i fyny'r grisiau, gan frwsio'i dannedd yn galed, pan ganodd cloch y drws. Gydag ochenaid, aeth i agor y drws. Fyddai hi byth yn cyrraedd yr ysgol fel hyn!

Ei ffrindiau gorau, Anwen a Lowri, oedd yno. Byddai'r tair bob amser yn cerdded i'r ysgol efo'i gilydd. Gwenodd Ffiffi, a llond ei cheg o bast dannedd yn dechrau glafoerio i lawr ei gên.

'Aaaa! Merch wallgo! Merch wallgo! Galwch yr RSPCA!' gwaeddodd Anwen, gan gamu'n ôl yn gyflym.

Chwarddodd Ffiffi, cyn tagu ar y past dannedd.

'Ych-a-fi! Ffiffi, oes raid i ti?' meddai Lowri gan grychu'i thrwyn. 'Mae hynna mor ffiaidd!'

WISSSS!

Neidiodd pawb.

'Be andros oedd hynna?' gofynnodd Anwen, a'i llygaid gwyrddion yn grwn fel soseri. 'Dy dad oedd o?'

Nodiodd Ffiffi. Pwy arall fyddai'n gwneud y fath

dwrw am chwarter wedi wyth yn y bore? Byddai Mr MacDonald, eu cymydog, yn siŵr o gnocio ar eu drws ffrynt a chwyno.

'Mae o'n swnio fel tasa fo'n trio rhoi trawiad i bawb yn y stryd efo'r holl sŵn 'na,' meddai Lowri'n sarrug.

Cododd Ffiffi'i hysgwyddau, yna pwyntiodd at ei cheg a gwibio i fyny'r grisiau. Wedi golchi'r past oddi ar ei dannedd, rhedodd i lawr y grisiau at ei ffrindiau. Roedd ei thad wedi achub y blaen arni. Safai ei wallt yn glystyrau talsyth dros ei ben i gyd, roedd ei sbectol bron â syrthio oddi ar ei drwyn, ac roedd ei choes dde yn sownd yn ei glust yn hytrach nag yn gorffwys arni. Gwisgai grys-T glas a'r pâr o siorts a brynodd Ffiffi iddo'n anrheg Nadolig – y rhai efo llun o Bugs Bunny yn chwarae tennis drostyn nhw i gyd. I goroni'r cyfan, dim ond un sliper oedd amdano.

'Ydi pawb yn siŵr eu bod nhw'n iawn?' gofynnodd tad Ffiffi'n ofidus.

Nodiodd Lowri. Brathodd Anwen ei gwefus isaf ac edrych i lawr at ei thraed, gan geisio'i gorau glas i beidio â chwerthin. Fedrai Ffiffi mo'i beio! Pam oedd yn rhaid i'w thad godi *cymaint* o gywilydd arni?

'Ro'n i'n gneud arbrawf bach ac . . . fe . . . ym . . . aeth o'r mymryn lleia o chwith,' eglurodd wrth y merched

'Fel arfer,' mwmiodd Ffiffi

'Pardwn, cariad?'

'O, dim byd, Dad,' atebodd Ffiffi'n frysiog. 'Go drapia! Dwi 'di anghofio 'nghôt. Fydda i'n ôl yn syth bìn.' Yna rhedodd i fyny'r grisiau i'w llofft.

Pan ddaeth i lawr y grisiau, dywedodd ei thad, 'Wrthi'n disgrifio fy nyfais ddiweddara o'n i – y bisgedi anifeilaidd! Bisgedi yr un siâp â gwahanol anifeiliaid ydyn nhw, ac maen nhw'n coginio wrth i chi'u taflu nhw drwy'r awyr! Cofiwch chi, mae'n rhaid i chi roi sawl hergwd iddyn nhw cyn y bydd y cynhwysion yn coginio'n iawn, ond mae'n werth chweil, achos wedyn mi gewch chi fisgedi cynnes, ffres! Grêt, yndê? Mi ges i'r syniad ar ddamwain a deud y gwir. Pan . . .'

'Dad, mi fydd yn rhaid i chi ddal 'ych dŵr tan pnawn 'ma neu mi fyddwn ni'n hwyr i'r ysgol.' Edrychodd Ffiffi ar ei horiawr yn gyflym.

'Ond fydda i ddim yn hir . . .'

'Does gynnon ni ddim amser, Dad – wir yr,' meddai Ffiffi.

'O, . . . o'r gora 'ta,' meddai ei thad yn benisel.

Ochneidiodd Ffiffi. 'Mae Anwen a Lowri yn dod draw am swper heno 'ma, felly mi gewch chi gyfle i egluro sut mae'ch bechingalws chi'n gweithio bryd hynny,' meddai'n garedig. Roedd yr olwg siomedig ar wyneb ei thad wedi cael y gorau arni!

'O, da iawn,' meddai yntau gan sionci trwyddo.

'Mi wna i'n siŵr y bydd 'na ddigon o fwyd yn barod erbyn y byddwch chi'n 'ych holau.'

'Diolch yn fawr, Mr Owen.' Gwenodd Lowri arno.

'Ie, diolch Mr O,' meddai Anwen.

Roedd Ffiffi ar fin arwain ei ffrindiau allan o'r tŷ pan ddywedodd ei thad yn sydyn, 'O, arhoswch funud, bawb.'

Brasgamodd i'r gegin. Edrychodd Ffiffi ar ei horiawr eto, gan daro ei throed ar y llawr yn ddiamynedd.

'Ffiffi, os bydda i'n gorfod aros ar ôl ysgol i sgwennu traethawd arall achos 'mod i'n hwyr, mi gwympith fy mraich i ffwrdd,' sibrydodd Lowri.

'Mi aiff Mam yn hollol bananas,' ychwanegodd Anwen.

'DAD . . .!'

'Dyma ni.' Daeth tad Ffiffi allan o'r gegin gan gario dau gês bach plastig du, un ym mhob llaw. 'Dyma ti, Anwen. I chdi mae hwn,' meddai, gan roi'r cês i Lowri. 'Ac i chditha mae hwn, Lowri,' ychwanegodd, gan roi'r ail gês i Anwen.

'Dad, rydach chi 'di'u cymysgu nhw – eto,' meddai Ffiffi'n amyneddgar. Pwyntiodd at Lowri. 'Dyma Lowri.' Pwyntiodd at Anwen. 'A dyma Anwen! Dwi *wedi* deud wrthach chi o'r blaen – sawl gwaith.'

'O do, mi rwyt ti,' meddai ei thad yn ddryslyd. 'Sori.'

Twt-twtiodd Ffiffi. Sut allai o gymysgu rhwng y ddwy? Roedd lliw croen Lowri'n ddu ac un Anwen yn wyn, er mwyn y nefoedd!

'Diolch yn fawr iawn, Mr Owen. 'Dach chi'n glên iawn.' Edrychodd Lowri ar y cês bach du yn ei llaw. 'Ym . . . be ydi o?'

'Pecyn Ysbïo Teclyn-ddyn!' datganodd tad Ffiffi'n falch. 'Mi fyddan nhw ar gael yn y siopau ddiwedd y mis. Dwedwch wrth 'ych ffrindiau! Dwedwch wrth 'ych rhieni! Dwedwch wrth bawb! Prynwch rŵan cyn rhuthr y Nadolig!'

Dim ond mis Mehefin oedd hi.

'O, Dad!' ysgydwodd Ffiffi'i phen.

Pe bai'n ysgwyd ei phen rywfaint rhagor y bore hwnnw mi fyddai'n siŵr o rolio oddi ar ei gwddw a syrthio'n glep i'r llawr! Doedd rhai tadau ddim ffit i gael eu gadael yn rhydd, nac oedden wir!

Yn enwedig ei thad hi!

PRINNNNNG! PRRINNNNNNNNGG! Roedd rhywun yn gwasgu cloch y drws ac, yn amlwg, doedd o ddim yn mynd i symud ei fys i ffwrdd nes yr agorai'r drws.

Edrychodd Ffiffi a'i thad ar ei gilydd.

'Mr MacDonald!' meddai'r ddau fel un.

Trodd tad Ffiffi ar ei sawdl, yn barod i'w heglu hi'n ôl i'w weithdy.

'O, na, dydach chi ddim yn symud modfedd o 'ma, Dad! Arhoswch yn fan'na!' Aeth Ffiffi i agor y drws.

'Ffion, mi faswn i'n lecio gair efo dy dad ynglŷn â'r holl ffrwydrada 'na sy'n dod o waelod yr ardd, os gweli di'n dda,' meddai Mr MacDonald yn swta. Edrychodd heibio Ffiffi a gweld ei thad. Disgynnodd ei aeliau tywyll, blewog mor isel dros ei lygaid culion nes eu bod bron â chyrraedd ei bengliniau.

'Welwn ni chi pnawn 'ma, Dad!' Tynnodd Ffiffi'r ddwy arall allan drwy'r drws efo hi.

'Ym . . . Ffiffi, allet ti . . .' dywedodd ei thad.

'Sori! Mae'n rhaid i ni fynd neu mi fyddwn ni'n hwyr i'r ysgol,' meddai Ffiffi.

'Mr Owen, dwi 'di cael llond bol! Dwi'n 'ych rhybuddio chi – un bang arall, un ffrwydrad arall, dim ond y "pop" bach lleia un, ac mi fydda i'n galw'r heddlu!' bytheiriodd Mr MacDonald.

Nid arhosodd Ffiffi a'i ffrindiau i glywed rhagor. Gadawsant ei thad ar y rhiniog, yn trafod ei ddyfais ddiweddaraf, ac yn enwedig y sŵn a wnâi, efo'i gymydog blin.

Cerddodd y merched i ffwrdd yn gyflym.

'Pam wnest ti ddim aros ar ôl? Roedd dy dad yn amlwg isio i ti aros,' meddai Lowri.

'Mae'n rhaid i Dad ddysgu cael ei hun allan o drwbwl,' arthiodd Ffiffi. 'Alla i ddim gneud hynny drosto fo drwy'r amser.'

'O ble cafodd o'r syniad 'na am fisgedi anifeilaidd?' chwarddodd Anwen. 'Tydw i 'rioed 'di clywed am y ffasiwn beth o'r blaen.'

'Pa ryfedd!' meddai Ffiffi'n sychlyd. 'Pwy arall fyddai'n meddwl am beth mor wirion â hynny?'

Edrychodd Lowri i lawr ar ei horiawr. 'Mae'n gas gen i ddeud hyn wrthach chi, yndê, ond . . .' Doedd dim angen iddi ddweud rhagor.

Heb ddweud gair, dechreuodd pawb redeg. Roedden nhw'n mynd i fod yn hwyr yn cyrraedd yr ysgol. Unwaith eto!

Pennod 2

Teclyn-ddyn yn Mynd ar Goll!

'Www! Dwi bron â thorri 'mol isio gweld be sy yn hwn.' Roedd Anwen yn ffidlan efo byclau'r cês bach plastig du. 'Mi faswn i 'di'i agor o ar y stryd, ond o nabod fy lwc i, mi fydda popeth ynddo fo 'di syrthio'n strim-stram-strellach ar hyd y stryd mewn chwinciad chwannan.'

Roedd y gwasanaeth boreol wedi gorffen, ond doedd Twrch Daear ddim wedi ymddangos eto ar gyfer rhoi gwers ddwbwl o ddaearyddiaeth i'r dosbarth. Roedd Lowri wedi rhoi ei chês ar ei desg yn barod, ac roedd ar fin ei agor.

''Drychwch, bawb! 'Drychwch be mae tad Ffiffi 'di'i roi inni,' ymffrostiodd Anwen. 'Pecyn Ysbïo Gwych-Pych!'

Roedd tyrfa wedi ymgasglu o'u cwmpas mewn eiliadau. Bu bron i Ffiffi gael ei sathru dan draed yn y rhuthr.

'Mae Ffiffi'n galw'i thad yn "Teclyn-ddyn". Dyna'i waith o – dyfeisio petha – dyfeisio taclau newydd,' eglurodd Lowri, 'ac mae o 'di rhoi un o'r rhain bob un i ni.'

SNAP! SNAP! SNAP! SNAP!

Sbonciodd byclau'r cesys bach plastig ar agor.

'Waw!'

''Drycha ar hwnna . . .!'

'Argol!'

Er bod Ffiffi'n gwybod yn iawn beth oedd yn y cesys, roedd hi'n dal wedi cynhyrfu'n lân. Byddai ei thad wedi bod wrth ei fodd efo'r ymateb yma, meddyliodd! Safodd ar ben cadair i edrych dros bennau pawb oedd o'i blaen.

'Mae 'na lyfr cyfarwyddiada yn fan'ma.' Cododd Anwen y llyfr cyfarwyddiadau a oedd ar ben popeth arall yn y cês, a dechreuodd ei ddarllen. ' "Rhestr Cynnwys Pecyn Ysbïo Teclyn-ddyn: Pensel ddwy-ffordd arbennig, torts (angen batris ynddi), drych, plyciwr, chwyddwydr, llyfryn nodiadau, bagiau i ddal tystiolaeth, powdwr du a gwyn i gymryd olion bysedd, brws i gymryd olion bysedd, ffolder CYFRINACHOL IAWN . . ." '

'Dy dad wnaeth hynna i gyd, go iawn?' Trodd Steffan ei ben i ofyn i Ffiffi.

Nodiodd Ffiffi ei phen, a'i hwyneb yn cynhesu fwyfwy wrth yr eiliad. 'Dad gafodd y syniad a fo sgwennodd y llyfr cyfarwyddiada. Mae 'na sôn am betha fel cod cyfrin, masgia a chuddwisgoedd ynddo fo, a sut i ddilyn pobl amheus, y ffordd gywir o gymryd olion bysedd a phob math o betha eraill. Wedyn mi yrrodd Dad ei syniad at gwmni gneud tegana ac mi roeson nhw'r cyfan at ei gilydd.'

'Be ydi'r bensel ddwy-ffordd arbennig 'ma?' gofynnodd Jên.

'Mae'i hanner hi'n bensel normal,' eglurodd Ffiffi, 'ac mae gan yr hanner arall wêr arbennig i lawr y canol. Pan sgrifennwch chi efo'r ochr â gwêr, dydi o ddim yn dangos nes y byddwch chi'n ei drin o mewn ryw ffordd arbennig. Mae'r cyfan yn y llyfr cyfarwyddiada.'

'Ydi pob pecyn ysbïo yr un fath?' gofynnodd Steffan.

Nodiodd Ffiffi.

'Ga i un?' gofynnodd Steffan yn eiddgar.

'A finna . . .'

'A finna hefyd . . .'

'Dwi'm yn meddwl fod gan Dad ragor ar ôl,' meddai Ffiffi'n gyflym.

Doedd ganddi ddim awydd gweld y dosbarth cyfan yn dod i wersylla yn yr ardd gefn!

'Mi ddeudodd Mr Owen y bydda'r pecynna ar werth yn y siopa ddiwedd y mis 'ma,' gwaeddodd Lowri dros sŵn pawb yn y dosbarth wrth iddyn nhw holi Ffiffi.

'*BE* SY'N MYND YMLAEN YMA?' saethodd llais Twrch Daear y tu ôl i bawb, nes bron iddynt neidio allan o'u crwyn. 'Ffion Owen! Be wyt ti'n feddwl wyt ti'n neud yn sefyll ar ben y gadair 'na? Wyt ti'n sefyll ar ben y cadeiria pan fyddi di adra?' gofynnodd.

Agorodd Ffiffi ei cheg yn barod i ddweud ei bod yn gwneud hynny'n aml, ond achubodd Twrch Daear y blaen arni.

'Nac wyt, debyg iawn,' meddai, gan ateb ei gwestiwn ei hun. Erbyn hyn roedd pawb arall wedi rhedeg yn ôl at ei ddesg.

'Lowri, Anwen, dowch i flaen y dosbarth – a dowch â'r cesys bach 'na efo chi,' gorchmynnodd Twrch Daear.

Tynnodd ei sbectol i lawr i flaen ei drwyn, er mwyn iddo allu rhythu ar bawb. Doedd Ffiffi ddim yn gwybod beth oedd yn sgleinio fwyaf, ei lygaid bach fel rhai mochyn, ynteu ei dalp moel a redai o ben ei dalcen yr holl ffordd i ben ei wddf ar yr ochr arall. Roedd hi'n casáu Daearyddiaeth!

'Pecyn ysbïo ydi o, syr,' eglurodd Lowri.

'Paid â gwamalu, ferch!' ysgyrnygodd Twrch Daear.

Ar ôl gweld beth oedd yn y cesys, meddai wrthynt: 'Reit 'ta! Dwi am gadw'r rhain tan ar ôl ysgol heno 'ma. Ac mi gewch chi'ch dwy aros ar ôl ar ddiwedd y pnawn i sgwennu traethawd i mi ar "Pam y bues i mor annoeth â dod â'm teganau i'r ysgol".'

'O, ond syr . . .' dechreuodd Anwen brotestio.

'Dwi ddim isio clywed rhagor.' Cododd Twrch Daear ei law. 'Neu mi gewch chi'ch dwy aros ar ôl bnawn Llun hefyd.'

Caeodd Anwen ei cheg yn glep.

'Ond syr, mae'n ddydd Gwener heddiw,' meddai Ffiffi wrth geisio achub cam ei ffrindiau. ''Dan ni i gyd 'di trefnu petha . . .'

'Felly mi fydd yn rhaid i chi'u dad-drefnu nhw, yn bydd,' rhefrodd Twrch Daear yn awdurdodol. 'A chan dy fod yn poeni cymaint am dy ffrindia, Ffion Owen, mi gei di aros ar ôl efo nhw. Teitl dy draethawd di fydd "Pam na ddylwn i sefyll ar gadeiriau'r ysgol".'

Syrthiodd ceg Ffiffi ar agor.

'Ro'n i'n meddwl y basat ti'n gwerthfawrogi hynna,' meddai Twrch Daear efo tinc o foddhad yn ei lais.

'Fuasai waeth i ni fod wedi cymryd ein hamser i ddod i'r ysgol ddim,' mwmiodd Ffiffi o dan ei gwynt. ''Dan ni wastad yn cael ein cadw ar ôl beth bynnag.'

'Ddeudest ti rywbeth, Ffion?' culhaodd llygaid Twrch Daear.

'Naddo, syr,' atebodd Ffiffi'n syth.

'Wyt ti'n siŵr?'

'Hollol siŵr, syr,' meddai Ffiffi'n ddiniwed.

'Da iawn! Achos mi fedra i feddwl am ddigon o deitlau addas eraill ar gyfer traethodau.'

Dwi ddim yn amau hynny o gwbl, meddyliodd Ffiffi'n chwerw, ond yn ei doethineb ddywedodd hi 'run gair.

Cerddai Ffiffi, Lowri ac Anwen i fyny'r allt serth a arweiniai at dŷ Ffiffi. Roedd hi'n hwyr yn y prynhawn. Roedd yna ychydig o gymylau gwlân cotwm wedi'u gwasgaru'n blith draphlith drwy'r awyr. Sychodd Ffiffi ei thalcen. Fe âi i'r gawod yn nes ymlaen os byddai'n parhau i fod mor annifyr o boeth â hyn.

Edrychodd ar draws y stryd. Roedd dyn barfog, yn gwisgo sbectol haul, yn eistedd y tu ôl i lyw car Ford Escort glas tywyll. Eisteddai rhywun arall gyferbyn ag o, ond roedd y person hwnnw'n codi rhywbeth i fyny o'r llawr. Ni allai Ffiffi fod yn siŵr p'run ai dyn ynteu dynes oedd yn sedd y teithiwr. Ni fyddai wedi sylwi ar y gyrrwr o gwbl oni bai ei fod yn drymio'i fysedd yn ddiamynedd ar y llyw, ac yn edrych yn syth arni. Ceisiodd Ffiffi ddyfalu beth oedd y dyn yn ei wneud yno. Gwyddai nad car un o'r cymdogion oedd o.

'Tybed am bwy mae hwnna'n aros?' meddai Ffiffi wrth ei ffrindiau.

'Pwy?' gofynnodd Anwen.

'Hwnna.' Trodd Ffiffi a phwyntiodd at yr Escort. Roedd y gyrrwr yn edrych yn syth yn ei flaen erbyn hyn.

'Be 'di bwys?' meddai Anwen. 'Ti'n hen drwyn fusneslyd!'

Gwenodd Ffiffi. Roedd Anwen yn iawn.

Cyrhaeddon nhw dŷ Ffiffi a cherdded i fyny'r llwybr at y drws ffrynt.

'Ffiffi, dim ond am awr ar y mwya y galla i aros,' meddai Lowri.

'A finna hefyd,' meddai Anwen.

Ochneidiodd Ffiffi a nodiodd ei phen wrth agor y drws ffrynt. Bai Twrch Daear oedd hyn i gyd! Dim ond amser am bryd bach sydyn fyddai gan ei ffrindiau yn awr. Gobeithio nad oedd ei thad wedi mynd i ormod o drafferth.

'Teclyn-ddyn! 'Dan ni adra!' gwaeddodd wrth iddi fynd dros y trothwy.

Roedd ei thad wrth ei fodd yn ei chlywed yn ei alw'n Teclyn-ddyn. Dywedai ei fod yn gwneud iddo deimlo fel clamp o arwr!

Ond doedd dim ateb heddiw.

'Teclyn-ddyn, ble 'dach chi?' gwaeddodd Ffiffi.

Doedd dim ateb eto.

'Mae'n rhaid 'i fod o'n 'i weithdy. Dewch, mi

awn ni o gwmpas ochr y tŷ i roi sypreis iddo fo,' awgrymodd Ffiffi.

Arweiniodd y ffordd allan drwy'r drws ffrynt, trwy'r giât ar dalcen y tŷ, ac i lawr y llwybr. Sièd fawr oedd y gweithdy, mewn gwirionedd. Bu unwaith yn adeilad cadarn, mawreddog. Bellach, er ei fod wedi'i drwsio'n gadarn mewn mannau, roedd blynyddoedd o ffrwydradau ac arbrofion oedd wedi mynd o chwith wedi dechrau gadael eu hôl arno. Ac erbyn hyn, roedd yna hefyd goblyn o dwll mawr yn y to – twll nad oedd yno ddoe. Roedd y drws wedi cael tipyn o hergwd hefyd, yn ôl pob golwg.

Roedd teclyn newydd ei thad yn amlwg wedi gwneud argraff ffrwydrol ar y gweithdy!

Gwthiodd Ffiffi'r drws, er ei fod yn hanner hongian oddi ar ei golfachau. Camodd y tair i mewn i'r gweithdy.

'O na! Ffonia'r heddlu – mae 'na rywun 'di torri i mewn yma!' ebychodd Lowri.

Gwgodd Ffiffi arni, yna ar weithdy ei thad, cyn troi'n ôl at Lowri. 'Mae'r lle 'ma wastad yn edrych fel hyn,' meddai'n flin.

Mwmiodd Lowri rhyw 'O!' fach ddistaw.

'Paid â bod mor ddigwilydd!' cilwenodd Ffiffi. 'Tydi o ddim mor ddrwg â hynny!'

A dweud y gwir, edrychai'r lle tipyn taclusach ar ôl i'w thad ei ffrwydro y bore hwnnw!

Roedd y gweithdy'n llonydd – bron iawn nad oedd yn arswydus o lonydd – gyda phob math o wifrau, bylbiau, switsys a batris, a llu o drugareddau electronig eraill wedi'u gwasgaru ar hyd y lle.

'Dyna ryfedd!' meddai Ffiffi'n synfyfyriol. 'Mae'n rhaid i mi lusgo Dad gerfydd 'i wallt i'w gael o allan o'r lle 'ma fel arfer. Ble mae o, tybed?'

Ar ôl dychwelyd i'r tŷ, galwodd Ffiffi ar ei thad unwaith eto. Doedd neb yn ateb. Aethant i mewn i'r gegin. Er mawr syndod iddynt, doedd dim bwyd wedi'i osod allan ar eu cyfer. Dim brechdanau, dim platiau o fisgedi, dim powlenni o greision a chnau. Doedd dim byd yn y popty, na dim byd yn coginio ar ben y ffwrn. Roedd tad Ffiffi'n enwog am ei fwyd blasus.

Yn lle'r bwyd roedd yna amlen. Roedd 'Ffion' wedi'i sgwennu arni yn llawysgrifen droellog ei thad.

Ar unwaith, gwyddai Ffiffi fod rhywbeth o'i le. Fyddai ei thad byth bythoedd yn ei galw'n Ffion. Ffiffi a ddefnyddiai bob tro. Credai Ffiffi weithiau fod ei thad wedi anghofio beth oedd ei henw cywir. Gwgodd ar yr amlen wrth ei chodi.

'Be sy'n bod?' gofynnodd Anwen, wrth weld ymateb ei ffrind.

Nid atebodd Ffiffi. Rhwygodd yr amlen ar agor, a chrychodd ei thalcen mor ddwfn nes i'w cheg fynd yn gam i gyd. Y tu mewn i'r amlen roedd un ddalen o bapur gwyn plaen. Dechreuodd Ffiffi ei darllen:

annwyl FFION,

dwi ddim Eisiau i ti boeni na Darllen dim Mwy i mewn i'r llythyr yma, ond pen rwdan fel Ag Ydw i, (a Rwdlyn hefyd!), mi Anghofiais yn LLwyr ddweud wrthat ti FFion fy mod i Eisiau rhai Darnau ychwanegol Na fedraf gael Gafael arnyn nhw ond y tu Allan i'r dref. paid â phoeni. mi fydda i adre RHWNG dydd sadwrn a dydd sul, er Efallai Y cymerith hi amser Ychwanegol i'r Llipryn tad sydd gen Ti I ddod o Hyd i'r Naw darn y Mae o Eu Hangen.

Mae'r oergell yn LLawn felly helpa Dy hun – fel pe bai Angen i mi ddweud hynny wrthat ti! mi wela i di yn y dyfodol agos. ffonia dy Nain i ddod i aros atat ti nes y dof yn ôl.

cariad mawr,
dad.

o.n. mae angen Uwd arnon ni a phryna ychydig o selsig i mi hefyd.

'Ydi dy dad yn mynd i ffwrdd am ddyddia ar 'i ben ei hun yn aml?' gofynnodd Lowri mewn syndod.

Ysgydwodd Ffiffi'i phen. 'Nac 'di, byth,' atebodd mewn sioc.

'Mae dy dad yn sgwennu'n rhyfedd, yn tydi?' meddai Anwen dros ysgwydd Ffiffi. 'Mae 'na brif lythrenna ynghanol brawddega ac mae o'n dechra brawddega efo llythrenna bach. Mi fasa Miss

Gwilym, yr athrawes Gymraeg newydd, yn cael ffit biws tasa hi'n gweld hynna.'

'Dydi Dad ddim 'di sgwennu llythyr fel hwn i mi erioed o'r blaen. Dydi o ddim yn lecio sosejys hyd yn oed.' Gwgodd Ffiffi. 'A tydi o byth, *byth* yn fy ngalw i'n Ffion. Mae 'na rywbeth od iawn yn mynd ymlaen yma.'

'Be?' gofynnodd Anwen yn syn.

'Yn union,' meddai Ffiffi. 'Dwi ddim yn gwybod. Ond mae 'na rywbeth o'i le. Mae 'na rywbeth mawr o'i le.'

Pennod 3

Llythyr Teclyn-ddyn

Aeth y tair i mewn i'r lolfa ac eistedd i lawr, gyda Ffiffi rhwng Lowri ac Anwen. Crymodd pawb dros y llythyr. Roedd rhywbeth yna – fe wyddai Ffiffi hynny. Pe bai hi ond yn gallu dod at wraidd y peth! Wel, i ddechrau, dyna i chi'r ffordd od roedd y llythyr wedi'i sgwennu. Roedd ysgrifen ei thad yn wael ofnadwy, ond fe wyddai ef hyd yn oed bod angen dechrau brawddeg newydd efo prif lythyren ac nad oeddech yn eu defnyddio rywsut rywsut.

'Dyna fo! Y prif lythrenna!' Neidiodd Ffiffi mor galed nes y bu bron iddi syrthio oddi ar y soffa.

'Be amdanyn nhw?' gofynnodd Lowri'n ddryslyd.

'Dewch â phapur a phensel i mi – brysiwch!' gorchmynnodd Ffiffi.

Aeth Anwen i nôl y llyfryn nodiadau a'r bensel allan o'i phecyn ysbïo.

'Dwi'n mynd i ddarllen allan yr holl brif lythrenna mae Dad 'di'u sgwennu yn y llythyr, ac mi gei di, Anwen, eu sgwennu nhw i gyd i lawr. Iawn?' meddai Ffiffi.

'Iawn. Dallt y dalltings,' nodiodd Anwen.

'Be 'dach chi'n neud?' cwynodd Lowri. 'Dwi'm yn deall.'

'Mi faset ti, taset ti'n darllen y llyfr cyfarwyddiada 'na sy yn dy becyn ysbïo di,' meddai Ffiffi wrthi. 'Mae Dad yn trio deud rywbeth wrtha i. Dwi'n gwybod ei fod o. Dwi'n siŵr fod y prif lythrenna'n rhyw fath o god. Mae'r set gynta o brif lythrenna'n sillafu f'enw i – Ffion. Dydi hwnna ddim yn god, dwi'n siŵr. Bwriad hwnna, debyg, ydi denu fy sylw trwy ddefnyddio f'enw llawn ych-a-pych i, felly rho atalnod ar ôl hwnna a dechreua linell newydd. Rŵan, 'ta . . . gad i mi weld . . . fel hyn mae o'n dechra: E–D–M–A–Y–R–A–LL–FF–E– . . .'

Sbeciodd Ffiffi draw at Anwen i wneud yn siŵr ei bod hi'n cofnodi'r llythrennau'n gywir. Symudodd Lowri i eistedd yr ochr arall i Anwen.

'Dydi hynna ddim yn sillafu dim byd,' meddai Lowri wrth syllu ar yr hyn a sgwennai Anwen.

‘Wel nac’di siŵr, ddim eto,’ meddai Ffiffi. ‘Mi fasa hynny’n rhy hawdd. Ble o’n i rŵan, d’wad?’

Cariodd ymlaen i ddarllen yr holl brif lythrennau eraill oedd yn llythyr ei thad. Fe gymerodd fwy o amser nag y tybiodd iddi wneud hynny. Darllenodd Ffiffi nhw allan yn gyntaf, yna gwnaeth i Lowri eu hailadrodd i wneud yn siŵr eu bod yn gywir.

‘Rho’r llythrenna R–H–W–N–G efo’i gilydd achos dyna sut maen nhw yn llythyr Dad,’ meddai Ffiffi’n fyfyrgar. ‘’Falla ’i fod o am i’r llythrenna yna aros efo’i gilydd, fel y rhai yn f’enw i ar ben y nodyn.’

O’r diwedd, roedden nhw wedi gorffen.

‘Be ’dan ni’n neud rŵan, ’ta?’ Crychodd Anwen ei thalcen wrth geisio dod o hyd i ystyr yn y llythrennau.

FFION,

E–D–M–A–Y–R–A–LL–FF–E–D–N–G–A

RHWNG

E–Y–Y–LL–T–I–H–N–M–E–H–LL–D–A–N–U

‘Be mae hynna’n feddwl?’ gofynnodd Lowri.

‘Dim syniad.’ Cododd Ffiffi ei hysgwyddau. ‘Un o gêma Dad ’di hyn, felly dwi’n awgrymu’n bod ni’n mynd trwy rai o’i awgrymiada o am godau. Lowri, be ’di’r cod cyfrin cynta mae o’n sôn amdano yn y llyfr cyfarwyddiada? Dwi’m yn gallu cofio.’

Tynnodd Lowri’r llyfr allan o’i phecyn ysbïo gan

fynd drwy'r tudalennau nes dod o hyd i'r bennod ar godau cyfrin.

'Reit . . . bla . . . bla . . . bla . . . Dyma ni! Mae hyn yn edrych yn addawol! "Y cod symlaf yw'r un ble croesir allan yr ail neu'r drydedd brif lythyren am yn ail,"' darllenodd Lowri o'r llyfr. '"Mae'r math yma o god yn arbennig o ddefnyddiol i'r ysbïwr sy'n gorfod gadael neges ar frys a . . ."'

'Ie, ie!' torrodd Ffiffi ar ei thraws. 'Dim bwys am y gweddill am funud. Be am i ni drio hyn yn gynta?'

'Reit, mi groesa i allan bob llythyren am yn ail ar ôl d'enw di,' meddai Anwen yn araf. 'Gad i mi weld rŵan. Gadael yr "E", croesi'r "D", gadael yr "M" . . .'

Roedd y tawelwch yn y lolfa'n fyddarol wrth i Lowri a Ffiffi wylio Anwen yn croesi allan pob llythyren am yn ail ar ôl enw Ffion, ond yn gadael 'RHWNG' i mewn.

FFION,
E–M–Y–A–FF–D–G
RHWNG,
E–Y–T–H–M–H–D–N

'Dydi hynna ddim yn gneud fawr o synnwyr chwaith,' meddai Lowri.

'Nac'di, tydi o ddim,' cytunodd Ffiffi, yr un mor siomedig.

'Gad i mi sgwennu'r cyfan i gyd allan eto, a'r tro yma mi groesa i'r llythrenna bob yn dair,' awgrymodd Anwen.

'Wyt ti'n meddwl mai neges mewn cod ydi hwn go iawn, Ffiffi?' gofynnodd Lowri'n amheus wrth i Anwen sgwennu.

'Mae'n rhaid mai dyna ydi o. Pam fyddai Dad wedi'i sgwennu mor ryfedd, fel arall?' atebodd Ffiffi. 'Ond mae'n siŵr mai gneud hyn fel jôc mae o, er mwyn ein gorfodi ni i ddefnyddio'n pecynna ysbïo.'

Ceisiodd Ffiffi berswadio'i hun mai dyna oedd yr unig eglurhad rhesymol am yr holl beth, ond doedd hynny ddim yn egluro pam fod ei stumog hi'n corddi. Pam na fyddai ei thad wedi dweud wrthi ymlaen llaw ei fod yn bwriadu mynd i ffwrdd? A pham nad oedd o wedi ffonio Nain ei hunan? Dim ond unwaith o'r blaen y bu ei thad i ffwrdd oddi cartref dros nos. Fe ddywedodd wrth Ffiffi bythefnos ynghynt bryd hynny, a bu'n rhaid i Nain ddod i aros ddiwrnod *cyn* i'w thad adael. Na . . . roedd rhywbeth rhyfedd iawn yn digwydd.

'Iawn, 'ta,' meddai Anwen. 'Mi dria i ar ôl bob tair llythyren rŵan.'

'Na, arhosa am funud,' torrodd Ffiffi ar ei thraws. 'Pa brif lythyren wnest ti groesi allan ar ôl "FFION"?'

'Y llythyren "D". Pam?' gofynnodd Anwen.

'Cychwynna drwy groesi allan yr "E" yn gynta y tro 'ma. Yna croesa nhw allan bob yn ail ar ôl hynny,' awgrymodd Ffiffi. 'Os na fydd hynny'n gweithio, yna mi groeswn ni nhw allan bob yn dair llythyren. Mi ddylen ni geisio gneud y codau hawsa yn gynta.'

'Iawn,' cytunodd Anwen, a dechreuodd groesi'r llythrennau allan am yn ail ar ôl yr "E" gyntaf.

FFION,

D–A–R–LL–E–N–A

RHWNG

Y–LL–I–N–E–LL–A–U

''Drycha! 'Drycha!' pwniodd Lowri Ffiffi yn ei hasennau. 'Mae'n deud, "Ffion, darllena rhwng y llinellau".'

'Argol, ti'n iawn!' meddai Anwen, gan syllu ar y geiriau. 'Darllena rhwng y llinellau . . . Be mae hynny'n feddwl? Tydi hyn yn gyffrous!'

''Falla fod dy dad yn ceisio deud fod 'na ystyr arall i'r nodyn yma ar wahân i'r hyn mae o 'di'i sgwennu?' awgrymodd Lowri.

'Na . . . dwi'm yn meddwl mai dyna ydi o,' meddai Ffiffi'n araf. Cododd y llythyr at ei thrwyn a'i ogleuo. Yna cododd o i fyny i gyfeiriad ffenest y lolfa.

'Anwen, rho dy drwyn ar hwnna a deuda wrtha i os wyt ti'n gallu ogleuo rhywbeth.' Rhoddodd Ffiffi y llythyr iddi.

Ogleuodd Anwen y llythyr yn galed. 'Mae hynna'n od! Mae 'na . . . ogla . . . cannwyll arno fo.'

'Gad i mi'i ogleuo fo.' Cymerodd Lowri'r llythyr a'i ogleuo. 'Rwyt ti'n iawn, *mae* 'na ogla cannwyll arno fo,' meddai'n llawn syndod.

Gwenodd Ffiffi mewn rhyddhad. 'Mae Dad 'di sgwennu nodyn cyfrinachol i mi gan ddefnyddio un o'r pensilia arbennig o'r pecyn ysbïo. Mae'n rhaid mai dyna beth roedd o'n feddwl efo'i neges "Darllena rhwng y llinellau". Dyna ble mae'r neges gyfrinachol – rhwng y llinellau mae o 'di'u sgwennu efo rhan arferol y bensel.'

Felly mae'n rhaid mai jôc oedd y cyfan. Ie, jôc . . .

'Brysia! Be mae o'n ddeud?' gofynnodd Anwen.

'Dwi angen . . . rŵan 'ta, be oedd o hefyd? . . . ychydig o bowdwr coco neu lwch glo,' cofiodd Ffiffi. 'Mae'n rhaid iddo fod yn rhywbeth tywyll wnaiff lynu ar y cwyr i neud iddo sefyll allan. Dwi'n gwybod! Mi wnaiff ychydig o bowdwr cymryd olion bysedd y tro yn iawn.'

'Ydi hyn i gyd i lawr yn y llyfr cyfarwyddiada hefyd?' gofynnodd Lowri.

Nodiodd Ffiffi. 'Ydi, ond mae 'na sbel ers i mi'i ddarllen o erbyn hyn.'

'Dwi'n mynd i ddarllen bob gair sy yn y llyfr 'na heno 'ma,' meddai Anwen. 'Mae'n swnio'n andros o ddiddorol!'

Cymerodd Lowri ei photyn o bowdwr du i gymryd olion bysedd allan o'i phecyn ysbïo, a'i roi i Ffiffi.

'Reit, 'ta.' Tynnodd Ffiffi anadl ddofn.

Ysgeintiodd ychydig o'r powdwr ar hyd yr ymyl uchaf ar nodyn ei thad gan frwsio'r powdwr yn ysgafn iawn i lawr y tudalen. Ar unwaith, wrth i'r powdwr lynu ar y cwyr, dechreuodd neges gyfrinachol ei thad ymddangos rhwng y llinellau oedd wedi eu sgwennu â phensel arferol.

'Mae'n gweithio! Be mae o'n ddeud?' gofynnodd Anwen yn llawn cyffro.

'Callia, Anwen,' meddai Lowri gan godi'i haeliau. 'Mwy na thebyg mi fydd o'n deud rywbeth tebyg i "Mae dy swper di yn y siop sgod a sglod".'

'Dyna be dwi'n amau hefyd,' meddai Ffiffi.

Ond roedd ei stumog hi'n dechrau corddi unwaith eto. Brwsiodd Ffiffi'r powdwr yn ofalus i fyny ac i lawr y ddalen unwaith yn rhagor, gan gymryd gofal i beidio â chwalu'r cwyr oddi tano. Yna cododd ddwy ymyl y ddalen i hel y powdwr i lawr i'r canol a thywallt yr hyn oedd yn weddill yn ôl i'r potyn. Roedd ei thad wedi sgwennu'r neges gyfrinachol mewn sgrifen fân iawn. Dechreuodd Ffiffi ei darllen.

Ffiffi,

Paid â phoeni, ond dwi'n cael fy herwgipio. Nid tynnu dy goes di ydw i – dwi o ddifri. Daeth dau ddyn i'r drws yn holi am yr osgiliadur anwytho. Mi wthion nhw eu ffordd i mewn gan chwilio drwy'r tŷ a'r gweithdy nes dod o hyd iddo. Dwi wedi gwrthod dweud wrthyn nhw sut mae'r ddyfais yn gweithio felly maen nhw'n fy ngorfodi i i fynd efo nhw. Maen nhw wedi dweud wrtha i am sgwennu'r llythyr yma i ti fel na fyddi di'n amau fod dim o'i le. Dwi'n smalio fy mod yn rhwbio llawer allan efo rhan cwyr y bensel yma, er mwyn i mi allu sgwennu hyn i ti. Dos at yr heddlu ar unwaith. Dyweda wrthyn nhw beth ddigwyddodd nos Fercher. Dwi angen dy help di, Ffiffi. Dos yn syth at yr heddlu. A bydda'n ofalus iawn, iawn.

Cariad Mawr,
Dad.

Ni ddywedodd neb yr un gair ar ôl i Ffiffi orffen darllen. Syllodd Ffiffi ar y llythyr, gan ei ddarllen eilwaith, ac yna eto am y drydedd waith.

'Jôc ydi hyn – ia?' dywedodd Lowri.

Edrychodd Ffiffi ar ei ffrindiau. Ysgydwodd ei phen. 'Fasa Dad byth yn chwara jôc fel hon.'

'Ond fedar hyn ddim bod yn wir!' Dywedodd Anwen yr hyn oedd ar feddyliau pawb. 'Wel, be dwi'n feddwl ydi – pwy fasa isio herwgipio dy dad? Does 'na neb yn mynd o gwmpas yn herwgipio pobl fatha fo. A tydi dy dad di ddim yn gyfoethog . . . '

'Nid yr arian maen nhw isio. Isio'r . . .' edrychodd Lowri yn gyflym ar y llythyr oedd ar lin Ffiffi. 'Isio'r "osgiliadur anwytho" maen nhw – beth bynnag ydi hwnnw.'

Aeth yr ystafell yn dawel fel y bedd.

'Na! Ty'd 'laen!' Chwarddodd Anwen yn nerfus. 'Fedar hyn ddim bod yn wir. Dim ond ar y teledu mae petha fel 'na'n digwydd. Nid yn rhywle fath â Llanfair. Does 'na ddim byd byth yn digwydd yn y dre fach yma.'

'Ond mae o *wedi* digwydd.' Doedd Ffiffi ddim yn adnabod ei llais ei hun. Yn sydyn, teimlai'n oer iawn, iawn. Roedd hi'n crynu fel deilen.

Sibrydodd, 'Mae Dad 'di cael ei herwgipio.'

Pennod 4

Yr Heddlu'n Cyrraedd

Safodd Ffiffi ar ei thraed. 'Dwi'n mynd i ddeud wrth yr heddlu.'

'Ddown ni efo ti,' meddai Lowri.

'Iesgob, down,' cytunodd Anwen.

'Na, mi fyddwch chi'ch dwy yn hwyr yn cyrraedd adre.' Lapiodd Ffiffi ei breichiau amdani'i hunan mewn ymdrech i'w rhwystro rhag crynu. 'Mae'n mynd yn hwyr.'

'Ffiffi, wyt ti'n iawn?' gofynnodd Lowri'n bryderus.

Sodrodd Ffiffi ei dannedd yn ei gilydd i geisio

peidio crynu, ond yn ofer. 'Nac'dw. Pam dwi'n crynu gymaint?'

'Dwi'n meddwl dy fod ti mewn sioc. Mae Mam yn nyrs, felly mi ddylwn i wybod.' Safodd Anwen gan lapio'i breichiau o gwmpas Ffiffi. 'Be wyt ti angen ydi paned o de neu rywbeth poeth, a chadw dy hun yn gynnes.'

'Mi a' i i neud y te,' cynigiodd Lowri. 'Mi a' i i roi'r tegell . . .'

'Na, does gynnon ni ddim amser. Mae'n rhaid imi ddeud wrth yr heddlu,' meddai Ffiffi'n ddiamynedd.

'Os ffoni di nhw, mi fyddan nhw'n meddwl mai rhyw blentyn bach yn chwarae tricia wyt ti,' meddai Lowri.

'Felly . . . felly mi a' i i'w gweld nhw 'ta – yr eiliad 'ma.' Ni allai Ffiffi feddwl yn glir.

Ni siaradodd neb wrth iddynt gerdded allan i'r cyntedd. Gafaelodd Ffiffi yn ei chôt oedd yn hongian ar ganllaw'r grisiau, a'i gwisgo.

Canodd cloch y drws.

'Mi ateba i o.' Aeth Lowri at y drws a'i agor.

'Ffion Owen?' Safai dyn tal, gyda gwallt tonnog brown golau a llygaid glas treiddgar, yn y drws. Gwisgai drowsus melfaréd du, crys glas a chôt ledr ddu. Roedd yn gawr o ddyn, ei gorff yn gadarn a chyhyrog iawn.

'Lowri ydw i, hon ydi Ffiffi – Ffion dwi'n

feddwl.' Pwyntiodd Lowri at Ffiffi y tu cefn iddi gan grychu'i thalcen. 'Allwn ni'ch helpu chi?'

Trodd y dyn i edrych yn dreiddgar ar Ffiffi. 'Ga' i ddod i mewn?' gofynnodd.

'Dydan ni ddim isio prynu dim byd.' Symudodd Anwen i sefyll wrth ymyl Lowri gan rwystro ffordd y dyn i mewn trwy'r drws. Gwerthwr o-ddrws-i-ddrws oedd y peth olaf oeddynt ei angen ar y funud. Symudodd Ffiffi i sefyll o flaen ei ffrindiau.

'Dydw i ddim yn gwerthu dim byd,' meddai'r dyn yn hawddgar. Tynnodd waled fechan allan o boced y tu mewn i'w gôt. Agorodd y waled a'i chwifio o flaen trwyn Ffiffi cyn ei rhoi'n ôl yn ei boced gan ddweud, 'Ditectif Williams o ranbarth CID swyddfa'r heddlu yn Llanfair ydw i. Dwi yma i siarad efo'ch tad.'

'Yr heddlu ydach chi?' meddai Ffiffi, gan dynnu ei gwynt ati'n sydyn.

Nodiodd Ditectif Williams. 'Ydi'ch tad yma?'

'Nac'di, dydi o ddim yma,' meddai Ffiffi'n gyflym. 'Ar ein ffordd i'ch gweld chi'r oeddan ni. Pan ddes i adre o'r ysgol roedd y llythyr 'ma'n fy aros. Mae Dad 'di cael ei herwgipio.'

Tynnodd Ffiffi'r llythyr, oedd wedi'i blygu'n ofalus, allan o boced ei chôt a'i estyn i Ditectif Williams. Gan grychu'i dalcen yn ddwfn, cymerodd Ditectif Williams y llythyr a dechreuodd ei ddarllen.

'Mi sgwennodd Dad y rhan gyfrinachol rhwng

llinellau'r neges arall,' eglurodd Ffiffi. 'Mae o 'di cael 'i herwgipio, 'dach chi'n gweld. Mae'n deud yn fan'na.'

'Jôc ydi hyn – ia?' gofynnodd Ditectif Williams yn araf.

'Wel, nage siŵr iawn. 'Drychwch ar lythyr Dad. 'Drychwch!' anogodd Ffiffi.

Edrychodd Ditectif Williams. 'Wela i . . . Ga' i ddod i mewn?'

Symudodd Anwen a Ffiffi o'r ffordd. Daeth Ditectif Williams i mewn i'r tŷ.

'Mae'r lolfa drwy'r drws acw.' Dangosodd Ffiffi y ffordd iddo.

Wedi i bawb eistedd, gwyliodd Ffiffi Ditectif Williams yn darllen y llythyr unwaith eto.

''Dach chi'n deud fod eich tad 'di gadael y neges gyfrinachol yma i chi?'

'Ydw, mi ddefnyddiodd o bensel arbennig sy'n gweithio'n ddwy-ffordd,' atebodd Anwen cyn i Ffiffi gael cyfle. 'Mi ddaeth Ffiffi â'r neges i'r golwg trwy ddefnyddio powdwr du i gymryd olion bysedd. Y prif lythrenna yn y neges gynta oedd y cliw. Roedden nhw'n sillafu "Ffion, darllena rhwng y llinellau" mewn cod!'

Craffodd Ditectif Williams ar y nodyn. Ar ôl ennyd fer fe roddodd chwiban isel. 'Clyfar iawn.'

'Ond sut oeddach chi'n gwybod fod Dad 'di cael ei herwgipio?' gofynnodd Ffiffi mewn penbleth. 'Wnes i mo'ch galw chi.'

'Nid dyna pam dwi wedi dod draw,' meddai Ditectif Williams yn araf. 'Ddoe, fe gysylltodd ei gymdeithas adeiladu o â ni ynglŷn â llythyr roeddan nhw 'di'i gael gan eich tad. Llythyr yn cynnwys lot o bres, a gwybodaeth am un o'i ddyfeisiadau o – rhyw osgiliadur anwytho?'

'Rhyw be?' gofynnodd Anwen. 'O ia, y bechingalw 'na roedd o'n sôn amdano yn 'i nodyn.'

'Mae o'n dipyn o lond ceg, yn tydi,' cytunodd Ditectif Williams.

'Beth amdano fo?' gofynnodd Ffiffi'n bigog. 'Mi roddodd Dad yr arian yn ôl i'r gymdeithas adeiladu, yn do?'

Edrychodd Anwen a Lowri ar ei gilydd mewn penbleth.

'Pa bres?' gwnaeth Lowri siâp ceg yn ddistaw ar Anwen.

Cododd Anwen ei hysgwyddau mewn anwybodaeth.

'Ie, dwi'n gwybod ei fod o 'di rhoi'r pres yn ôl ac mae o i'w ganmol am wneud hynny,' meddai Ditectif Williams. 'Nid pawb fyddai 'di bod mor onest. Fe ddaeth y gymdeithas adeiladu i gysylltiad â ni yng ngorsaf yr heddlu gan fod gynnon ni fwy o adnodda na nhw. Dwi wedi dod i weld eich tad i gael mwy o wybodaeth ynglŷn â sut mae'r peth yn gweithio, ac wedyn mi allwn ni rybuddio'r banciau a'r cymdeithasa adeiladu eraill ar hyd a lled y wlad.'

'Ffiffi, be goblyn ydi'r osgiliadur anwytho pethma, 'ta?' gofynnodd Lowri.

'Mi adeiladodd Dad o er mwyn profi cylchedau penodol a gweithredoedd rhesymegol ar fyrddau cylched printiedig a phetha tebyg,' meddai Ffiffi'n ddiamynedd, gan siarad fel pe bai wedi llyncu geiriadur termau technegol. 'Dwi'n meddwl i Dad ddeud mai ei enw llawn o ydi rhyng-osgiliadur anwytho, rhaglenadwy, atborthiant cadarnhaol . . . neu rywbeth tebyg.'

Cododd Lowri ei haeliau. 'O ia, siŵr iawn! Mi ddylwn i fod wedi dyfalu hynny fy hunan!' meddai'n sychlyd.

'Dwi'm yn gwybod be mae hynna'n 'i feddwl, ond mae'n swnio'n andros o dda,' meddai Anwen yn llawn edmygedd.

Trodd Ffiffi at Ditectif Williams. 'Mae Dad 'di cael ei herwgipio. Be ydan ni'n mynd i neud?'

'Cyn inni fynd gam ymhellach dwi'n meddwl y dylech chi ddeud be ddigwyddodd nos Fercher, yn union fel mae'ch tad yn gofyn i chi neud yn ei nodyn,' meddai Ditectif Williams yn araf. 'Efallai fod 'na gliw yna'n rhywle ynglŷn â phwy sy 'di herwgipio'ch tad.'

Edrychodd Ffiffi ar Anwen a Lowri yna ar Ditectif Williams gan bendroni beth i'w wneud.

'Dwi ddim yn siŵr a ddylwn i ddeud wrthach chi,' meddai Ffiffi'n ansicr. 'Dwi wedi addo i Dad na fyddwn i'n deud wrth neb.'

Gafaelodd Ditectif Williams yn llythyr ei thad a'i godi. 'Ond yn ei nodyn i chi mae'n deud y dylech chi ddeud popeth wrthan ni, yn tydi? Peidiwch â gadael dim byd allan, dim ots pa mor ddibwys mae'n ymddangos i chi. Fe allai fod yn gliw i ni ddod o hyd i'w herwgipwyr.'

Wrth glywed hynny, teimlai Ffiffi nad oedd ganddi ddewis ond dweud y cyfan.

'Wel . . . roedd Dad yn gweithio ar un o'i ddyfeisiadau nos Fercher – sef ar yr osgiliadur anwytho.' Dechreuodd Ffiffi adrodd yr hanes braidd yn anfodlon. 'Pan ddes i adre o'r ysgol, roedd angen rhyw wifren arbennig ar Dad ar gyfer yr osgiliadur, felly mi ddeudodd y basen ni'n picio i'r siop yn y dre, ac wedyn yn cael *pizza* i swper.'

'Biti na fasa Mam yn gneud hynna'n amlach,' meddai Anwen.

'Biti na fasa Mam yn gneud hynna unwaith!' ochneidiodd Lowri.

'Beth bynnag, mi yrrodd Dad i'r siop, ond cyn i ni fynd i mewn mi ddeudes i wrtho am neud yn siŵr fod ganddo lyfr siec neu gerdyn credyd neu arian i dalu,' ychwanegodd Ffiffi. 'Bob tro 'dan ni'n mynd allan i siopa, mae Dad yn aros nes y bydd hi'n amser talu cyn sylweddoli ei fod wedi anghofio dod ag arian efo fo. Doeddwn i ddim isio mynd trwy'r rigmarôl 'na eto.'

'Oedd ganddo fo arian?' gofynnodd Ditectif Williams.

Ysgydwodd Ffiffi ei phen. 'Dim ond un o'r cardiau 'na sy'n gadael i chi dynnu arian allan o dwll yn y wal mewn banciau a chymdeithasa adeiladu oedd ganddo fo. Felly bu raid i ni yrru i ganol y dre i ddefnyddio'r peiriant y tu allan i gymdeithas adeiladu Dad. Dyna pryd y digwyddodd y peth.' Caeodd Ffiffi ei cheg.

'Cariwch ymlaen. Dwi'n dal i wrando,' meddai Ditectif Williams yn garedig.

'Wnaeth Dad ddim byd o'i le, wir yr,' meddai Ffiffi'n ymbilgar. 'Nid ei fai o oedd o.'

'Nid ei fai o oedd be?' gofynnodd y ditectif.

'Mi . . . mi roddodd Dad 'i osgiliadur anwytho i bwyso yn erbyn y twll yn y wal, a rhoi ei gerdyn i mi. Mae o wastad yn gadael i mi dynnu'r arian allan. Fo fydd yn teipio'i rif i mewn a fi fydd yn gneud y gweddill. Ro'n i'n edrych ar y dyddiad ar y cerdyn i weld pryd fyddai hwnnw'n dod i ben pan ddechreuodd Dad ffidlan efo'r osgiliadur – teipio rhyw orchmynion a rhifa a ballu . . . ' meddai Ffiffi.

'Ie?' anogodd Lowri cyn i'r ditectif gael cyfle i wneud hynny.

'Mi ddaeth 'na ryw sŵn clicio od o grombil y peiriant . . . ac wedyn dyma 'na swp o bres yn dechra poeri allan o'r peiriant,' mwmiodd Ffiffi.

'Pres! Cer o 'ma! Tynnu 'nghoes i wyt ti?' syllodd Anwen ar Ffiffi.

'Biti na faswn i,' meddai Ffiffi'n drist. 'Mi ddaeth

’na domen o bapura deg ac ugain punt allan o’r peiriant un ar ôl y llall, er i Dad drio rhoi’i law dros yr hollt i’w rhwystro nhw rhag dod allan. Roedd ’na gymaint o bapura fel y dechreuon nhw ddisgyn ar y llawr. Roedd gen i gymaint o gywilydd. Diolch byth nad oedd ’na neb o gwmpas ar y pryd neu mi fasa pethau’n saith gwaith gwaeth.’

Edrychodd Ffiffi ar Ditectif Williams a’i llygaid gofidus led y pen ar agor. ‘Doedd Dad ddim ’di bwriadu gneud unrhyw ddrwg – wir yr.’

‘Pa orchmynion a rhifau deipiodd eich tad i mewn i’r osgiliadur?’ gofynnodd Ditectif Williams, gan symud i eistedd ar flaen ei sêt.

‘Dwn i ddim,’ meddai Ffiffi’n anhapus. ‘Do’n i ddim yn cymryd llawer o sylw nes i’r holl arian ’ma ddechra hedfan o gwmpas y lle.’

‘Faint o arian oedd ’na?’ gofynnodd Lowri.

‘Pum mil a saith deg o bunnoedd,’ atebodd Ditectif Williams. ‘Neu, o leia, dyna faint roddodd eich tad yn ôl i’r gymdeithas adeiladu . . .’

Syllodd Anwen ar Ffiffi. ‘Pum mil a saith deg . . .’

‘Dyna’r cyfan oedd ’na, dwi’n addo,’ meddai Ffiffi’n ddigalon.

‘Argol!’ ebychodd Lowri.

‘Mi roddodd Dad yr arian mewn amlen efo llythyr yn egluro be oedd ’di digwydd, a’i bostio fo trwy flwch llythyra’r gymdeithas adeiladu,’ meddai Ffiffi. ‘Roedd y gymdeithas adeiladu ar gau, neu fel arall mi fydden ni ’di mynd i mewn yn y fan a’r lle. Mi aethon ni adre’n syth ar ôl hynny. Aethon ni ddim i’r siop na thrio defnyddio cerdyn Dad yn y peiriant eto na dim byd fel ’na. Beth bynnag, doedd ’na ddim pwrpas achos doedd ’na ddim arian ar ôl yn y peiriant twll yn y wal.’ Edrychodd Ffiffi ar Ditectif Williams, a’i llygaid fel soseri. Oedd o’n ei chredu hi? Roedd yn *rhaid* iddo’i chredu hi!

‘Welsoch chi’r llythyr sgwennodd eich tad?’ gofynnodd Ditectif Williams iddi o’r diwedd.

Nodiodd Ffiffi. ‘Do, roedd o ’di’i gyfeirio at reolwr y gymdeithas adeiladu. Eglurodd Dad beth oedd ’di digwydd a deud y gallai unrhyw un gyda digon o grebwyll adeiladu osgiliadur anwytho a fyddai’n gneud yn union yr un peth â’i un o. Mi gynigiodd o fynd i’w gweld i ddangos yn union beth wnaeth o i gael yr arian allan er mwyn iddyn nhw allu rhwystro’r peth rhag digwydd eto.’

Llyncodd Ffiffi ei phoer. Sut y gallai hi argyhoeddi’r heddlu mai *damwain* oedd y cyfan?

‘Ydach chi’n gwybod sut mae dyfais eich tad yn gweithio?’ gofynnodd y ditectif.

‘Mi eglurodd Dad i mi unwaith, ond wnes i ddim deall y cyfan.’ Gwgodd Ffiffi. ‘Pan rowch chi’ch cerdyn i mewn i un o’r peirianna twll yn y wal ’ma, mae’n debyg fod ’na gyfrifiadur yn darllen y stribed magnetig ar gefn y cerdyn ac yn cael rhif eich cerdyn a’r swm mwya o arian y gallwch ’i dynnu allan ar un tro, a phob math o ryw fanylion tebyg. Dim ond pan deipiwch chi rif eich cerdyn i mewn yn gywir y cewch chi ddewis faint o arian ydach chi am 'i dynnu allan. Wedyn bydd y cyfrifiadur yn gyrru neges i'r peiriant electronig sy'n bwydo'r arian allan. Ond pan ddechreuodd Dad ddefnyddio'i osgiliadur anwytho, fe anfonwyd negeseuon electronig o'i declyn a'r rheiny'n anwybyddu'r cyfrifiadur a mynd yn syth i gychwyn y peiriant electronig. Mi ddeudodd Dad mai dyna sut mae anwythiad yn gweithio mewn ffiseg, ond wnes i ddim deall y busnes ffiseg 'na'n iawn. Beth bynnag, oherwydd nad oedd y cyfrifiadur 'di deud wrth y peiriant electronig faint yn union o arian oedd ei angen, mi fwydodd y cwbwl lot allan.'

'Argian, am ffantastig!' meddai Anwen, wedi rhyfeddu.

'Hmmm!' mwythodd y ditectif ei aeliau brown golau. 'Ac wrth gwrs, gall yr osgiliadur anwytho neud yr un peth yn union i bob peiriant twll yn y wal yn y wlad.'

'Doedd dy dad ddim wedi cael ei demtio'r mymryn lleia i gadw'r arian?' gofynnodd Anwen.

'Nagoedd siŵr iawn,' meddai Ffiffi o'i cho'n lân. 'Nid arian Dad oedd o.'

'Felly pam na fasa dy dad wedi cadw'r arian tan y diwrnod wedyn, a mynd â fo i mewn bryd hynny ac egluro'r cyfan?' gofynnodd Lowri.

'Mi ddeudodd Dad pe bai o'n cadw'r arian dim ond am ddiwrnod, efalla y basa rhywun yn meddwl ei fod o 'di bwriadu cadw'r arian,' eglurodd Ffiffi. 'A ph'run bynnag, roedd o . . . roeddan ni'n dau isio cael gwared ohono fo cyn gynted â phosib. Roedd y cyfan yn eistedd mor ddel yn ein dwylo ni, yn syllu arnon ni . . .'

Roedd wyneb Ffiffi ar dân. Roedd y cyfan yn swnio'n wirion, ond dyna'n union beth ddigwyddodd. Doedd ei thad na hithau ddim eisiau cadw'r arian am eiliad yn hwy nag oedd yn rhaid.

'A rŵan mae'ch tad 'di cael ei herwgipio,' meddai Ditectif Williams yn dawel. 'Ydach chi'n siŵr nad oedd neb arall o gwmpas pan ddisgynnodd yr holl arian 'ma allan o'r twll yn y wal?'

'Weles i neb.' Ysgydwodd Ffiffi ei phen. 'Ac mi ro'n i'n edrych o gwmpas achos do'n i ddim isio i rywun feddwl ein bod ni'n trio malu'r peiriant.'

'Felly, sut beth 'di'r osgiliadur anwytho pethma, 'ta?' gofynnodd Lowri.

Ciledrychodd Ffiffi ar Ditectif Williams. Roedd ei wefusau fel hollt denau ar draws ei geg, ac edrychai'n llym. Anadlodd Ffiffi'n ddwfn. 'Mae'n . . . mae'n edrych yn debyg i un o'r cyfrifiaduron bach 'ma sy ar gael, y rhai sy'n debyg i lyfr nodiadau bychan. Mae 'na allweddell fach a sgrin arno fo yn ogystal â'r holl ddarna bach eraill roedd Dad wedi'u glynu arno fo.'

'Fyddai gan eich tad nodiadau a lluniau o'r osgiliadur anwytho o gwmpas y tŷ 'ma yn rhywle?' gofynnodd y ditectif.

Ysgydwodd Ffiffi ei phen, yna cododd ei hysgwyddau'n ofidus. 'Dwn i ddim. Efallai fod ganddo fo.'

Edrychodd Ditectif Williams i fyw llygaid Ffiffi. 'Mae'n rhaid i ni gael gafael ar unrhyw fath o wybodaeth am yr osgiliadur cyn i'r herwgipwyr achub y blaen arnon ni.'

Teimlai Ffiffi fel petai ei chalon yn mynd i neidio allan o'i mynwes unrhyw funud. 'Ydach chi'n meddwl . . . y daw'r herwgipwyr yn ôl?'

'Dwn i ddim. Mae'ch tad ganddyn nhw, felly faswn i ddim yn meddwl y down nhw yma eto,' atebodd y ditectif. 'Ond mae'n rhaid i ni fod un cam o'u blaenau nhw. Mae'n rhaid i chi fod yn ofalus iawn efo pwy rydach chi'n siarad.'

Edrychodd Ffiffi a'r ditectif ar ei gilydd. 'Felly be 'dach chi'n mynd i neud?' gofynnodd Ffiffi'n daer. 'Mae'n rhaid i chi neud rhywbeth.'

'Peidiwch â phoeni. Mi weithiwn ni'n galed,' atebodd Ditectif Williams. 'I ddechrau, gawn ni gadw'r llythyr 'ma gawsoch chi gan eich tad? Mi fydd o help i ni efo'n hymholiadau.'

Cododd Ffiffi ei hysgwyddau eto. Aeth y lolfa'n ddistaw wrth i bawb feddwl yn galed. Clywodd Ffiffi aderyn yn trydar o'r goeden yn yr ardd gefn. Swniai mor rhyfedd, mor ddigroeso rywsut.

'Felly mi rydach chi'n 'y nghredu i, yn tydach?' gofynnodd Ffiffi er mwyn llenwi'r tawelwch annioddefol.

Nodiodd Ditectif Williams. 'O ydw! Mi fyddwn ni'n sicr yn dechrau ymchwilio i mewn i'r mater. Ydi'ch mam gartre?'

Ysgydwodd Ffiffi ei phen. 'Bu Mam farw dros bum mlynedd yn ôl.'

'Oes gynnoch chi frawd neu chwaer hŷn i edrych ar eich ôl chi?' gofynnodd y ditectif. 'Ydyn nhw'n gwybod rhywbeth am yr osgiliadur anwytho?'

'Na, dwi'n unig blentyn. Peidiwch â phoeni, mi ffonia i Nain. Mi edrychith hi ar f'ôl i nes daw Dad adre.'

Safodd Ditectif Williams ar ei draed. 'Y peth nesa i'w neud ydi mynd â chi i lawr i orsaf yr heddlu i gael datganiad swyddogol.'

''Dan ni'n dod hefyd, yn tydan ni Lowri,' meddai Anwen, gan godi ar ei thraed.

'Debyg iawn.' Safodd Lowri ar ei thraed hefyd, a chododd Ffiffi hithau'n flinedig.

Astudiodd Ditectif Williams y merched. Gwgodd. 'Wedi meddwl, mi fasa'n well i mi ddechrau ar y gwaith o chwilio am eich tad yn gynta. Mi ga' i'ch datganiadau chi i gyd eto. Ffion, gadewch i mi roi rhif fy ffôn symudol i chi, ylwch. Rhif fy ffôn symudol personol i ydi o, felly mi allwch chi gael gafael arna i unrhyw bryd. 'Dan ni ddim i fod i neud hyn, ond dwi isio gwneud yn siŵr eich bod chi'n teimlo y gallwch chi ymddiried ynof i. Os dowch chi ar draws unrhyw nodiadau am ddyfais eich tad yna plîs ffoniwch fi, unrhyw amser – nos neu ddydd. Cofiwch!'

'Iawn,' atebodd Ffiffi.

'Reit, oes gan rywun feiro? Ditectif Iwan Williams ydi'r enw a'r rhif ffôn ydi dim–tri–pump–chwech, pedwar–pedwar–dau–naw–pump–un.'

Sgwennodd Ffiffi'n gyflym ar gefn ei llaw efo beiro blaen ffelt a estynnodd o boced ei sgert.

'Mi a' i'n ôl i'r orsaf heddlu rŵan. Mi ddechreuwn ni ar ein hymchwiliad yn syth bìn,' meddai Ditectif Williams.

Cerddodd pawb at y drws ffrynt.

'Peidiwch â phoeni, Ffion. Fe ddown ni o hyd i'ch tad yn reit fuan. Dwi'n siŵr ei fod o'n hollol ddiogel yn rhywle.' Gwenodd y ditectif. 'O ia, un peth bach arall . . . dwi'n meddwl y byddai'n well pe bai'r tair ohonach chi'n addo peidio â sôn am hyn wrth neb arall. Dydan ni ddim isio peryglu bywyd eich tad, yn nac ydan?'

'Nag ydan, wir!' atebodd Ffiffi'n bendant.

'Ddeudwn ni ddim gair,' meddai Lowri.

'Dim gair,' cytunodd Anwen.

Ffarweliodd Ffiffi â'r ditectif cyn cau'r drws yn araf ar ei ôl. Edrychodd yn flin ar y drws, ei haeliau bron â bod wedi'u gwau efo'i gilydd.

'Be sy'n bod, Ffiffi?' gofynnodd Anwen. 'Dwi'n nabod yr olwg yna.'

'Does gen i fawr o feddwl o hwnna,' meddai Ffiffi'n sarhaus.

'Pwy? Ditectif Williams?' gofynnodd Lowri mewn syndod.

Nodiodd Ffiffi. 'Soniodd o 'run gair am gymryd olion bysedd nac am chwilio am unrhyw gliwiau adawodd yr herwgipwyr na dim byd felly.'

'Falla 'i fod o am ddod yn ôl i neud hynny efo rhai o'i gydweithwyr?' awgrymodd Lowri.

'Wel, pam na fasa fo 'di deud hynny, 'ta?' dadleuodd Ffiffi. 'Doedd o ddim yn edrych fel tasa fo o gwmpas ei bethau o gwbwl. A deud y gwir, mi ofynnoch chi'ch dwy fwy o gwestiyna nag a wnaeth o. Mi allwn *i* neud yn well na hynna!'

'Wel, mae'n rhaid i ti adael i'r heddlu neud eu gwaith,' dywedodd Anwen. 'Dwi'n siŵr fod y ditectif yn gwybod be mae o'n neud.'

Ond nid oedd Ffiffi'n gwrando. Roedd rhyw ddisgleirdeb rhyfedd yn ei llygaid wrth iddi syllu i'r gwacter.

'Ie . . . mi *allwn* i neud yn well na hynna.' Roedd Ffiffi'n sibrwd yn fwy wrth ei hunan nag wrth neb arall. 'Anwen, Lowri, *dwi'n* mynd i ddod o hyd i Dad! Does yna ddim byd yn mynd i'm rhwystro i rhag dod o hyd i'r herwgipwyr 'na – a'r lle maen nhw'n cadw Dad.'

Pennod 5

Chwilio am Gliwiau

Rhythodd Lowri ac Anwen ar Ffiffi.

'Dwyt ti ddim o ddifri, wyt ti?' gofynnodd Lowri. Ond roedd yr olwg ar wyneb Ffiffi yn ateb ei chwestiwn. 'Ffiffi, fedri di ddim gneud hynna. Mi fedar fod yn beryglus – yn beryglus iawn.'

'Wel, alla i ddim eistedd o gwmpas y lle 'ma'n gneud dim byd,' atebodd Ffiffi. 'Ac os mai'r ditectif *yna* sydd yng ngofal yr achos, yna mae'n amlwg fod yr heddlu angen pob help posib.'

'Ond be fedri di neud?' gofynnodd Lowri.

'Mi ddeudodd Dad yn ei nodyn fod 'na ddau ddyn yn y tŷ 'ma heddiw, a'u bod nhw wedi'i orfodi o i sgwennu'r llythyr 'na i mi,' meddai Ffiffi. 'Felly mae'n rhaid eu bod nhw 'di gadael rhyw fath o gliwia ar eu hola. Olion traed, olion bysedd – rhywbeth fel 'na. A dwi'n mynd i chwilio am y cliwia 'na nes do' i o hyd iddyn nhw.'

Gwgodd Lowri ar Anwen, yna trodd yn ôl at Ffiffi. 'Wel, rydan ni'n mynd i dy helpu di felly, yn dydan ni, Anwen?' meddai Lowri'n gadarn.

'Allwch chi ddim. Mae'ch teuluoedd chi'n eich disgwyl chi adre,' meddai Ffiffi.

'Mi allwn ni ffonio'n rhieni o fan'ma'n ddigon hawdd,' meddai Anwen. 'Ty'd yn d'laen Ffiffi, mae'n rhaid i ti adael i ni dy helpu di. Wedi'r cwbwl, dyna i be mae ffrindia'n dda, yndê.'

'Ond dwi ddim isio i chi'ch dwy gael stŵr,' meddai Ffiffi.

'Paid â phoeni. Mi ddeliwn ni efo'n rhieni,' meddai Lowri'n hyderus. ''Dan ni ddim yn mynd i adael i chdi neud y cyfan ar dy ben dy hun bach.'

'Be am dy nain di, p'run bynnag?' gofynnodd Anwen. 'Mi ddeudist ti wrth Ditectif Williams y baset ti'n 'i ffonio hi.'

'Mi wna i,' meddai Ffiffi. 'Ond ddim rŵan. Mi ffonia i hi'n nes ymlaen. Dydw i ddim isio nain yn chwalu unrhyw gliwiau tebygol. Mi fydda i allan yng ngweithdy Dad pan fyddwch chi'ch dwy 'di gorffen ffonio. Dwi isio archwilio'r gweithdy i ddechra, cyn iddi hi dywyllu.'

Plygodd Ffiffi'i phen. Daeth cwmwl o ansicrwydd drosti am eiliad. A allai hi wneud unrhyw beth a fyddai o wirioneddol werth?

'Paid â phoeni, Ffiffi. Mae dy dad yn saff yn rhywle, 'sti. Mae gen i deimlad ym mêr f'esgyrn 'i fod o'n iawn,' meddai Lowri'n addfwyn.

'A finna hefyd,' meddai Anwen wrth iddi stryffaglio i ddod o hyd i eiriau i'w chysuro.

Gwenodd Ffiffi ar ei ffrindiau cyn troi i ffwrdd yn sydyn. Roedd ei llygaid yn dechrau llenwi â dagrau. Edrychodd Lowri ac Anwen ar ei gilydd. Rhoddodd Anwen ei braich am ysgwyddau Ffiffi a gafaelodd Lowri yn ei llaw.

'Dwi . . . dwi'n falch eich bod chi'ch dwy yma,' meddai Ffiffi'n ddagreuol. 'Dwn i ddim be faswn i'n neud taswn i'n gorfod mynd drwy hyn ar fy mhen fy hun bach.'

'Paid â meddwl am y peth,' meddai Lowri'n gadarn. ''Dan ni yma rŵan a tydan ni ddim yn mynd i nunlle. Ddim ar y funud, beth bynnag!'

Gwenodd Ffiffi'n ddiolchgar.

Rhedodd i fyny'r grisiau i nôl y Pecyn Ysbïo Teclyn-ddyn a roddodd ei thad iddi ryw fis ynghynt. Roedd y tu ôl i'w chwpwrdd ymbincio, o dan ffenest ei llofft. Plygodd Ffiffi i lawr i'w nôl gan sythu'n araf drachefn. Gafaelodd ei bysedd yn dynn yn handlen y cês bach.

Ei thad oedd wedi rhoi'r pecyn ysbïo yma iddi.

Hwn oedd un o'r rhai cyntaf i gael eu cynhyrchu. Cofiodd Ffiffi am y wên oedd ar wyneb ei thad wrth iddo roi'r pecyn iddi. Teimlai hithau'n hapus iawn drosto gan ei fod wedi'i blesio'n arw efo'r pecyn, ond cofiodd iddi feddwl ar y pryd: Ble ar y ddaear ydw i'n mynd i gadw hwn rŵan 'to?

Bryd hynny ystyriai'r pecyn fel un o ddyfeisiadau eraill ei thad, yn gwneud dim ond hel llwch yn ei llofft fel y gweddill. Cododd Ffiffi'r cês a'i anwylo ar ei boch . . .

Ble oedd ei thad rŵan? Oedd o'n dal yn Llanfair neu oedd o wedi mynd allan o'r dref? Efallai ei fod yn yr Alban erbyn hyn, neu i lawr yn Llundain. Efallai ei fod o wedi mynd dramor, hyd yn oed. Caeodd Ffiffi'i llygaid. Fe âi hi'n dw-lal os cariai ymlaen i boeni fel hyn.

Roedd ei thad wedi cael ei herwgipio.

Nid oedd Ffiffi erioed wedi teimlo mor ddi-glem a da-i-ddim â hyn o'r blaen. Dechreuodd ei llygaid ddyfrio unwaith eto. Syllodd yn galed allan o ffenest ei llofft, ei hamrannau led y pen ar agor er mwyn eu harbed rhag gadael i'r dagrau redeg i lawr ei bochau.

Tyrd yn dy flaen, Ffiffi. Dos i lawr y grisiau yna a *gwna rywbeth*, dywedodd yn gadarn wrthi ei hun. Byddai unrhyw beth yn well na sefyll yn ei llofft yn hel meddyliau. Cymerodd anadl ddofn, ac yna un arall, gan aros i'r lwmp mawr, taglyd yn ei gwddf grebachu. Yna, rhedodd i lawr y grisiau, heibio'i ffrindiau oedd yn ffonio'u rhieni yn y cyntedd, drwy'r gegin ac allan i'r ardd, yn awyddus i ddechrau arni.

Safodd y tu allan i'r gweithdy, gan syllu arno. Roedd hi'n anodd gwybod ble i ddechrau. Sut gwyddai hi beth oedd yn gliw a beth oedd yn ddiwerth? Edrychodd Ffiffi ar y glaswellt a arweiniai at y gweithdy. Roedd yn fyr ac yn sych iawn. Dim olion traed, dim olion o unrhyw fath.

'Dim byd o werth yn fan'na,'ta,' mwmiodd.

Cerddodd fel cath ar farwor at ddrws y gweithdy, gan droedio'n ysgafn a chraffu ar y gwair i chwilio am gliwiau posib. Dim ond pan oedd hi'n sefyll yn union o flaen drws y gweithdy y cododd ei phen i edrych i fyny. Ar unwaith fe sylwodd ar rywbeth – rhywbeth y dylai fod wedi sylwi arno o'r blaen.

Cofiodd i'w thad daro hoelen yn ffrâm allanol y drws y tro diwethaf iddo bron â chwythu'r drws oddi ar ei golfachau. Hyd nes y byddai wedi cael cyfle i'w drwsio'n iawn, roedd ei thad wedi defnyddio darn o linyn cryf i glymu dwrn y drws yn yr hoelen, i'w arbed rhag siglo ar agor ac i gadw'r glaw rhag difetha'r dyfeisiadau. Nid oedd wedi gwneud hynny y tro hwn. Roedd y drws yn hanner hongian oddi ar ei golfachau, ac nid oedd wedi'i glymu i'w wneud yn ddiogel.

Roedd yn brawf pellach ei fod wedi'i herwgipio

– fel pe bai Ffiffi angen hynny! Pe bai ei thad wedi mynd i ffwrdd i brynu rhan ar gyfer y peiriannau, mi fyddai'n sicr wedi gwneud yn siŵr fod y drws wedi'i gau'n dynn. Gofidiodd Ffiffi nad oedd wedi sylwi arno ynghynt fel y gallai fod wedi tynnu sylw Ditectif Williams ato. Roedd hyn yn brawf arall nad jôc oedd y cyfan.

Ond, ar ôl meddwl am y peth, roedd Ffiffi'n sicr fod y ditectif wedi'i chredu hi. Doedd o ddim yn ymddangos yn ddeinamig iawn, dyna i gyd. Rywsut, doedd o ddim yn edrych yn debyg i dditectif go iawn.

Daliodd rhywbeth ei sylw. Roedd yna rywbeth ar yr hoelen.

Rhoddodd ei phecyn ysbïo i lawr ar y gwair a thynnodd y chwyddwydr allan ohono. Edrychodd ar yr hoelen drwy'r chwyddwydr. Roedd darn hir, tenau o frethyn glas wedi bachu yn yr hoelen. Curodd calon Ffiffi mor galed nes ei byddaru!

Cliw!

Roedd yn rhaid iddo fod yn un! Gan ddefnyddio'r plyciwr o'i phecyn ysbïo, plyciodd Ffiffi'r darn o frethyn oddi ar yr hoelen a'i ollwng i mewn i fag dal tystiolaeth. Roedd y bagiau bach o blastig clir yn berffaith ar gyfer storio unrhyw gliwiau y deuai o hyd iddynt. Roedd hi wrth ei bodd yn sylweddoli bod y pecyn ysbïo'n wirioneddol *ddefnyddiol.*

'Peidiwch â phoeni, Dad. Mi ddo i o hyd i chi,' sibrydodd Ffiffi.

Teimlai Ffiffi'n llawer gwell, nawr ei bod hi'n gwneud rhywbeth adeiladol. Fe deimlai'n garedicach tuag at y ditectif, hyd yn oed. Efallai iddi fod ychydig yn annheg efo Ditectif Williams. Fel y rhan fwyaf o oedolion, ni fyddai ef am rannu ei feddyliau ynglŷn â'r hyn yr oedd am ei wneud efo plentyn, hyd yn oed os mai tad y plentyn hwnnw oedd wedi cael ei herwgipio. Ond ni fedrai Ffiffi eistedd o gwmpas yn gwneud dim.

Nid merch fel'na ydw i, meddyliodd.

Gan ddefnyddio'r chwyddwydr, astudiodd Ffiffi'r drws yn ofalus iawn, ond ni ddaeth o hyd i ragor o gliwiau. Roedd rhwng dau feddwl ynglŷn â chymryd olion bysedd oddi ar ddwrn y drws, ond gan nad oedd ganddi gofnod o rai ei thad, ni fyddai'n gallu dweud pa olion bysedd oedd yn perthyn iddo ef, a pha rai oedd yn perthyn i'r herwgipwyr.

Roedd Ffiffi'n dal i bendroni ynglŷn â beth i'w wneud pan ddaeth Lowri ac Anwen allan i'r ardd.

'Be ddeudodd eich rhieni chi?' gofynnodd Ffiffi i'r ddwy.

'Mae'n rhaid i mi fod yn ôl erbyn wyth fan bella,' ochneidiodd Lowri. 'Maen nhw mor afresymol!'

'Mi ddeudis i wrth Mam dy fod ti 'di gofyn i mi aros efo ti dros y Sul ac nad oedd ots gan dy dad, ond roedd hi'n meddwl y baswn i'n ormod o drafferth i chi ar gymaint o fyr rybudd,' dywedodd Anwen, wedi'i siomi. 'Pan ddechreuodd hi ddeud y byddai'n rhaid iddi siarad efo dy dad i holi oedd hi'n gyfleus, mi benderfynais y basa'n well i mi beidio gwthio fy lwc.'

'Roedd hi'n werth trio, beth bynnag,' gwenodd Ffiffi.

'Oedd,' cytunodd Anwen.

'Sut mae hi'n mynd, 'ta?' gofynnodd Lowri.

Dangosodd Ffiffi ei bag dal tystiolaeth. 'Dyma ddarn o ddefnydd oedd yn sownd ar yr hoelen 'na'n fan'cw. Mae'n rhaid fod un o'r herwgipwyr yn gwisgo crys o frethyn glas.'

'Wyt ti'n siŵr nad oedd o ar yr hoelen cyn heddiw?' gofynnodd Lowri.

'Wel, fedra i ddim bod yn *berffaith* siŵr, ond wedyn o ble mae o 'di dod os *oedd* o yma cyn heddiw? Does gan Dad yr un crys fel 'na, a does gen inna 'run chwaith,' atebodd Ffiffi.

'Be wyt ti am neud efo unrhyw dystiolaeth y doi di o hyd iddo fo?' gofynnodd Anwen.

Cododd Ffiffi'i hysgwyddau. 'Dwi ddim yn siŵr iawn. Dwi ddim 'di meddwl mor bell â hynny eto. Mae'n siŵr y rho i'r cyfan i Ditectif Williams pan fydd gen i dystiolaeth o unrhyw werth, rhywbeth y gall o 'i ddefnyddio.'

'Pam na wnei di gadw'r holl wybodaeth a'r cliwia

yn y ffolder CYFRINACHOL IAWN sy yn dy becyn ysbïo di?' awgrymodd Anwen.

'Hei, dyna syniad da.' Cododd Lowri'i haeliau.

'Does dim raid i ti ryfeddu cymaint!' gwgodd Anwen.

'Mi wna i hynna,' meddai Ffiffi ar eu traws cyn i'r ddwy ddechrau ffraeo fel ci a chath. 'Mi ddylen ni roi enw arbennig ar y ffolder 'ma. Enw na fydd ond y tair ohonan ni'n ei wybod.'

Aeth yr ardd yn dawel wrth i'r tair bendroni.

'Be am "Cynllun tad Ffiffi"?' awgrymodd Anwen.

Crychodd Ffiffi a Lowri eu trwynau.

'Tydi o'm yn rhyw slic iawn,' meddai Lowri. 'Be am "Cynllun . . ." Na, hen syniad gwirion oedd hwnna wedi meddwl.'

Edrychodd Lowri'n frysiog ar Ffiffi. Sôn am ddideimlad! Roedd hi ar fin awgrymu 'Cynllun Herwgipio'. Beth andros oedd yn bod arni? Nid gêm oedd hyn o gwbl. Nid ffilm na jôc oedd o chwaith. Roedd tad Ffiffi *wedi* cael ei herwgipio o ddifrif.

'Dwi'n meddwl 'mod i 'di meddwl am deitl addas,' meddai Ffiffi'n araf. 'Be 'dach chi'n feddwl o "Helynt y Twll yn y Wal"?'

Nodiodd Lowri. 'Dwi'n lecio hwnna.'

'Grêt!' gwenodd Anwen.

'Helynt y Twll yn y Wal amdani felly,' meddai Ffiffi.

Aeth i lawr ar ei chwrcwd ac agor ei ffolder CYFRINACHOL IAWN. Gollyngodd ei bag tystiolaeth cyntaf i mewn i'r ffolder a'i gau.

'Nesa, ro'n i'n meddwl y baswn i'n chwilio am olion bysedd,' meddai Ffiffi. 'Wnaiff o ddim gneud fawr o les, mae'n siŵr, ond mae'n rhaid i mi neud yn siŵr 'mod i 'di gneud popeth y galla i.'

'Be fedrwn ni neud?' gofynnodd Anwen.

'Dwi angen tâp gludiog,' meddai Ffiffi.

'Mae gen i beth yn 'y mag ysgol. Mi bicia i i'w nôl o rŵan.' Rhedodd Lowri'n ôl i'r tŷ.

'Gofala na fyddi di'n cyffwrdd â dim byd. Dydw i ddim isio i olion bysedd yr herwgipwyr 'na gael eu difetha, na rhai o'r cliwia yn y tŷ chwaith,' galwodd Ffiffi ar ei hôl. Trodd at Anwen. 'A chofia ditha hynny hefyd, Anwen. Cymer ofal pan fyddi di'n cyffwrdd ag unrhyw beth. Iawn?'

'Dallt yn iawn,' meddai Anwen.

Menig! Dyna beth oedd ei thad angen eu hychwanegu at ei becyn ysbïo. Pâr o fenig plastig tenau – neu efallai mai rhai cotwm fyddai orau? Gwnaeth Ffiffi nodyn yn ei meddwl i ddweud hynny wrth ei thad pan welai o nesaf. *Os* gwelai o eto . . .? Na! Ysgydwodd Ffiffi ei phen yn ffyrnig. *Pan* – nid os.

Tra oedd Lowri wedi mynd i nôl ei bag, cadwodd Ffiffi ei hun yn brysur trwy ysgeintio ychydig o bowdwr du dros ddwrn lliw metel y drws.

Gwyliodd Anwen hi'n ddistaw. Yna defnyddiodd Ffiffi'r brws cymryd olion bysedd yn ysgafn iawn i gael gwared â'r powdwr nad oedd ei angen.

'Ydi o'n disgrifio sut i neud hynna i gyd yn llyfr cyfarwyddiada dy dad yn y pecyn ysbïo?' gofynnodd Anwen, a'i llygaid led y pen ar agor.

Amneidiodd Ffiffi. 'Powdwr du ar gyfer arwyneba gola a phowdwr gwyn ar gyfer arwyneba tywyll.'

'Argol! Mae'n siŵr dy fod ti'n andros o falch o dy dad. Tydi o ddim 'run fath â'r rhan fwya o oedolion eraill, yn nac'di? Tydi o'm yn ddiflas o gwbwl . . .'

Sythodd Ffiffi, ond aeth ei cheg yn gam ac yn grynedig i gyd.

'O Ffiffi, dwi'n andros o sori. Do'n i'm yn meddwl . . . Fi â'm hen hopran o geg anferthol eto,' meddai Anwen yn ofidus ar ôl sylweddoli'r hyn yr oedd newydd ei ddweud.

'Popeth yn iawn, Anwen,' meddai Ffiffi. 'Ti'n iawn. 'Falla fod Dad yn llawer iawn o betha, ond tydi o ddim yn ddiflas o bell ffordd. Fy mai i ydi o nad o'n i wedi sylweddoli hynny tan rŵan. Mae gen i hiraeth ofnadwy amdano fo'n barod.'

'Ffiffi, mae o'n saff, 'sti. Dwi'n gwybod ei fod o,' meddai Anwen yn drist.

Sychodd Ffiffi'i llygaid efo'i llaw. 'Gobeithio dy fod ti'n iawn,' meddai.

Pennod 6

Nain yn Cyrraedd

'Dyma'r tâp gludiog i ti.' Daeth Lowri yn ei hôl o'r gegin, a rholyn o dâp gludiog yn ei llaw.

Rhoddodd Anwen ochenaid o ryddhad yn ddistaw bach wrth weld ei ffrind yn cyrraedd. Roedd hi'n anobeithiol mewn sefyllfa fel hyn. Doedd hi byth yn gwybod beth i'w ddweud na beth i'w wneud. Fel arfer fe fyddai hi'n gwneud i bawb deimlo hyd yn oed yn fwy lletchwith yn y diwedd. Gwenodd Ffiffi arni.

'Mae'n iawn, 'sti, Anwen,' meddai Ffiffi'n dyner.

Gwenodd Anwen yn ôl arni.

'Arhosa am funud, Ffiffi. Beth am nodiada dy dad ar ei osgiliadur?' crychodd Lowri ei thalcen. 'Fasa'n well i ti edrych amdanyn nhw, tybed?'

'Na, ddim eto. Dim ffiars o beryg. Dod o hyd i'r herwgipwyr ydi'r peth pwysica rŵan, nid chwilio am wybodaeth dda-i-ddim am un o ddyfeisiada Dad. Alla i ddim gweld sut y gall hynny'n helpu ni i ddod o hyd iddo fo.'

'Ond mi ddeudodd Ditectif Williams . . .'

'Dim bwys gen i be ddeudodd hwnnw,' torrodd Ffiffi ar ei thraws yn filain. 'Fy nhad *i* sy 'di cael ei herwgipio, nid ei dad o. Mi fydd yn rhaid i'r chwilio am hen nodiada gwirion am y blincin osgiliadur dwl 'na aros. A ph'run bynnag . . .'

'Be wnawn ni rŵan,'ta?' gofynnodd Anwen, gan dorri ar ei thraws yn fwriadol.

Cymerodd Ffiffi anadl ddofn, ac un arall. Roedd yn rhaid iddi bwyllo. Doedd gwylltio ddim yn mynd i helpu pethau.

'I ddechra, 'dan ni angen tudalen o bapur gwyn plaen,' meddai Ffiffi'n dawel. 'Wedyn mi fydda i'n rhoi dau ddarn o dâp gludiog ar du blaen ac ar gefn dwrn y drws ac yn eu tynnu nhw i ffwrdd yn andros o ofalus. Wedyn, mi fydda i'n eu rhoi nhw ar y papur plaen. Wrth ddefnyddio'r powdwr du, mi ddylwn i gael dwy set o olion bysedd. Dyna'r egwyddor, beth bynnag.'

'Ond dwyt ti 'rioed 'di gneud hyn o ddifri o'r blaen, yn naddo?' gofynnodd Lowri.

'Naddo, erioed. A 'falla na fydd yr olion yn ddigon clir. 'Falla'u bod nhw wedi chwalu, wedi smwtshio, neu 'mod i 'di'u smwtshio nhw, neu hwyrach y bydd gen i ddwy neu dair set o olion bysedd, un ar ben y llall. Mi fedar 'na lawer o betha fynd o'i le.'

'Dyna fo, Ffiffi. Edrych ar yr ochr obeithiol, yndê!' cellweiriodd Anwen. 'Neu, wrth gwrs, 'falla y gwnaiff popeth weithio'n iawn y tro cynta.'

'Eitha reit. Deuda di wrthi, Anwen,' gwthiodd Lowri'i phig i mewn.

Gwenodd Ffiffi. Roedden nhw'n iawn. Ddylai hi ddim bod mor negyddol. Doedd hi ddim yn arfer bod felly. Gan symud yn araf a gofalus iawn, gosododd Ffiffi'r tâp ar ochr allan y dwrn drws. Wedi ei bilio i ffwrdd, gafaelodd ym mhob pen iddo a'i osod ar y darn o bapur yr oedd Anwen wedi'i estyn iddi o'r cês. Fe wnaeth yr un fath i du mewn y dwrn drws. Unwaith y cysylltwyd y darn yna o dâp gludiog â'r darn cyntaf ar y papur, fe gasglodd y tair o'i gwmpas i edrych arno. Roedd powdwr du ar hyd y tâp gludiog, ac roedd yna ryw fath o olion i'w gweld yn amlwg.

'Mae'r set gynta o olion bysedd wedi smwtshio braidd.' Gwgodd Lowri.

'Wyt ti'n siŵr?' gofynnodd Ffiffi. 'Dwi'n meddwl mai rhan o olion cledr y llaw ydi o. Mae'r olion bysedd ar yr ail ddarn o dâp gludiog. Mae hynny'n gneud synnwyr. Meddylia sut y baset ti'n troi dwrn drws. Mi fasa dy fysedd di ar yr ochr *tu mewn* i'r dwrn.'

'Ond olion bysedd pwy ydyn nhw – rhai dy dad neu rai'r herwgipwyr?' gofynnodd Anwen.

'Dyna'r broblem,' ochneidiodd Ffiffi. 'Does gen i ddim ffordd o wybod hynny. Mae'n rhaid i mi chwilio am olion sy'n sicr o fod yn rhai Dad. Ond rŵan, mi gaiff y rhain fynd i'r ffolder CYFRINACHOL IAWN efo'r cliwia eraill. Dwi'n meddwl . . . O na . . .!' Disgynnodd gwep Ffiffi.

'Be sy'n bod?' gofynnodd Lowri.

'Mi ddaethon *ni* i mewn i fa'ma hefyd,' meddai Ffiffi'n llawn gofid. 'Wnaeth un ohonach chi'ch dwy gyffwrdd dwrn y drws 'ma?'

Edrychodd Lowri ac Anwen ar ei gilydd.

Ysgydwodd Anwen ei phen. 'Dwi ddim yn gallu cofio.' Cododd Lowri ei hysgwyddau yn ddi-glem.

'Dwi ddim yn meddwl 'ych bod chi wedi'i gyffwrdd yn naddo, achos roedd y drws ar agor yn barod, yn doedd?' ceisiodd Ffiffi gofio.

'Dwi'n meddwl y dylet ti gymryd ein holion bysedd ninna hefyd – rhag ofn,' meddai Lowri.

Nodiodd Anwen wrth gytuno â hi.

'Well i mi gymryd f'olion bysedd fy hun hefyd,' sylweddolodd Ffiffi.

Aeth Ffiffi i nôl beiro blaen-ffelt allan o'i chês ac yna lliwiodd flaenau bysedd Lowri yn gyntaf, yna rhai Anwen, yna ei rhai hi ei hunan. Pwysodd bob un o fysedd ei ffrindiau ar ddalen lân o bapur, un llaw uwchben y llall, cyn gwneud yr un fath â'i bysedd ei hun. Sychodd Anwen ei bysedd ar ei sgert. Daliodd Lowri ei dwylo allan o'i blaen gan ledu ei bysedd allan fel nad oedd yr un bys yn cyffwrdd yr un nesaf ato.

'Ych-a-fi! Be 'dan ni'n neud nesa, 'ta?' gofynnodd Lowri.

'Nesa, 'dan ni'n mynd i chwilio trwy weithdy Dad efo crib mân,' meddai Ffiffi. 'Os dowch chi ar draws unrhyw beth, unrhyw beth o gwbwl, gadewch i mi wybod.'

Deng munud a sawl cwestiwn yn ddiweddarach, roedden nhw'n dechrau digalonni. Tybiodd Anwen a Lowri eu bod wedi dod ar draws sawl eitem ryfedd, ond roedd gan Ffiffi eglurhad am bob un.

''Dan ni'n troi'n ein hunfan fel hyn,' meddai Ffiffi'n anfodlon. 'Os oes 'na rywfaint rhagor o gliwia i'w cael yn fan'ma, fedra i mo'u gweld nhw. Lowri, welest ti rywbeth yn y corneli 'na?'

Ysgydwodd Lowri'i phen.

'Anwen, oedd 'na rywbeth ar sil y ffenest neu oddi tani?' gofynnodd Ffiffi.

Ysgydwodd Anwen ei phen hefyd. 'Sori.'

'A doedd 'na ddim byd yn y bin sbwriel?' gofynnodd Ffiffi.

Gwgodd Anwen a Lowri ar ei gilydd cyn troi'n ôl i edrych ar Ffiffi.

'Wnes i ddim edrych yn y bin,' meddai Lowri'n syn. 'Ro'n i'n meddwl dy fod ti 'di edrych yn hwnnw.'

'Ro'n innau'n meddwl fod Anwen 'di gneud,' atebodd Ffiffi. 'Dim bwys, dwi ddim yn meddwl y gwelwn ni ddim byd yn fan'no, chwaith.'

'Ffiffi!' rhybuddiodd Lowri.

Aeth Ffiffi tuag at y bin, gan roi cerydd iddi'i hun yn ei meddwl. Os mai dyna oedd ei hagwedd hi, yna pam trafferthu gwneud dim o gwbl? Dechreuodd dyrchu trwy'r bin.

'Dau hen fatri – o leia, dwi'n cymryd mai hen rai ydyn nhw – darna o wifra . . . rhagor o ddarna o wifra . . . rŵan 'ta, be 'di hwn?'

'Wyt ti 'di dod o hyd i rywbeth?' gofynnodd Lowri'n eiddgar.

'A! Dyma lle'r aeth y gyllell bysgod!' gwenodd Ffiffi, gan edrych ar flaen y gyllell oedd wedi duo a llosgi. 'Mi faswn i'n ddiolchgar iawn tasa Dad ddim yn defnyddio'n cytleri ni i . . .'

Stopiodd Ffiffi yng nghanol brawddeg. Mi gâi ei thad losgi pob cyllell, fforc a llwy yn eu drôr cytleri pe dymunai, dim ond iddo ddod gartre'n ddiogel ac yn iach. Tyrchodd drwy'r bin unwaith eto.

'Rhagor o ddarna o wifra . . . tâp insiwleiddio . . . Ŵ! Arhoswch funud . . .'

'Be sy 'na?' gofynnodd Anwen yn obeithiol.

'Mae 'na . . .' Yna gwthiodd Ffiffi'i phen yr holl

ffordd i mewn i'r bin. Edrychodd Lowri ac Anwen arni fel pe bai'n colli arni ei hun.

'Ydw, dwi'n iawn – mae 'na lwch sigarét yma.'

'A dydi dy dad ddim yn smygu,' meddai Lowri, a gwên yn dechrau lledu ar draws ei hwyneb.

'*Yn union.*' Hyd yn oed yn y gweithdy oedd yn prysur dywyllu, roedd llygaid Ffiffi'n disgleirio. 'Ac mae Dad yn gwagio'r bin 'ma bob nos, felly mae'n rhaid mai heddiw gafodd y llwch 'ma 'i roi yma.'

'Sut fath o lwch ydi o?' gofynnodd Anwen.

Edrychodd Ffiffi'n flin arni. 'Anwen, nid Sherlock Holmes ydw i, 'sti! Fedra i ddim deud pa fath o sigarét ydi o dim ond wrth 'i ogla fo!'

'Na, yr hyn o'n i'n ei feddwl oedd ai llwch sigâr, cetyn neu sigarét ydi o?' dywedodd Anwen.

'Pwynt da.' Gwthiodd Ffiffi'i phen i mewn i'r bin unwaith yn rhagor. 'Mi faswn i'n deud mai ogla sigarét ydi o, ond maen nhw i gyd yn ogleuo'n ffiaidd i mi.'

'Gad i mi 'i ogleuo fo.' Gwthiodd Anwen Ffiffi allan o'r ffordd. 'Mae Taid yn smygu cetyn, felly dwi'n gyfarwydd ag ogla hwnnw.'

'Be, ogla dy daid, 'ta ogla'r cetyn?' gofynnodd Lowri'n gellweirus.

'Wel y cetyn siŵr iawn, y g'loman,' meddai Anwen wrth gymryd anadl ddofn cyn rhoi ei phen yn y bin i arogli'r llwch. 'Nid ogla baco cetyn ydi o, yn sicr. Ogla sigarét ydi o.'

'Mae'n siŵr ein bod ni'n disgwyl gormod i obeithio bod y stwmpyn yna hefyd?' meddai Lowri.

Chwiliodd Anwen trwy'r bin chwarter llawn. 'Na. Dim ond llwch sy 'ma,' meddai o'r diwedd.

'Mi ro i 'chydig ohono mewn bag fel tystiolaeth beth bynnag – rhag ofn y bydd o'n ddefnyddiol,' meddai Ffiffi.

Unwaith yr oedden nhw'n fodlon nad oedd unrhyw beth arall o werth yn y gweithdy, arweiniodd Ffiffi'r ffordd yn ôl i'r tŷ.

'Mi gewch chi'ch dwy chwilio i fyny'r grisia. Gwyliwch ble 'dach chi'n sefyll a *pheidiwch â chyffwrdd dim byd*,' rhybuddiodd Ffiffi. Aeth Lowri ac Anwen i chwilota i fyny'r grisiau, tra aeth Ffiffi i ffonio'i nain.

Penderfynodd Ffiffi y byddai'n aros i'w nain gyrraedd y tŷ cyn dweud wrthi beth oedd wedi digwydd i'w thad. Fedrai hi ddim dweud yn hawdd iawn dros y ffôn: 'Sut ydach chi, Nain? O, gyda llaw, mae Dad 'di cael ei herwgipio!' Na, fe arhosai nes y deuai ei nain draw a'r ddwy ohonynt ar eu pennau eu hunain.

'Helô, Nain, Ffiffi sy 'ma,' meddai yr eiliad y cododd ei nain y ffôn i ddweud helô.

'Wel, helô Ffion, sut wyt ti?' gofynnodd Nain. Roedd ei llais cynnes, normal yn gwneud i Ffiffi deimlo'n drist.

'Ym . . . dyma pam dwi'n ffonio. Dydi Dad ddim

adre. Fedrwch chi ddod yma i aros efo fi nes y daw o'n ei ôl? Mi adawodd o nodyn yn deud y dylwn i'ch ffonio chi i ofyn i chi ddod i aros.' Brathodd Ffiffi'i gwefus isaf.

Roedd hynny fwy neu lai'n gywir!

'Ble mae o?' gofynnodd Nain.

'Dwi ddim yn gwybod,' atebodd Ffiffi. Roedd hynny'n wir.

'Wel, pryd fydd o'n ei ôl, 'ta?'

Gallai Ffiffi deimlo'r penbleth yn llais ei nain.

'Dwi ddim yn gwybod hynny chwaith. Mi eglura i bopeth i chi pan ddowch chi yma,' meddai Ffiffi.

'Hmmm! Mi fydda i draw cyn gynted â phosib – mewn tua awr,' meddai ei nain.

'Diolch, Nain. Wela i chi yn nes 'mlaen,' atebodd Ffiffi.

'Be'n union ydi'r gêm mae dy dad yn 'i chwara?' clywodd ei nain yn mwmial o dan ei gwynt.

Arhosodd Ffiffi rai eiliadau cyn rhoi'r ffôn i lawr. Roedd hi'n siŵr ei bod hi wedi gwneud y peth iawn. Doedd hi ddim yn sgwrs hawdd iawn i'w chynnal dros y ffôn. Gydag ochenaid, aeth Ffiffi i ymuno ag Anwen a Lowri.

Ddeugain munud yn ddiweddarach, roedden nhw wedi gorffen chwilio am gliwiau i fyny'r grisiau – a heb ddod o hyd i'r un.

'I lawr y grisia rŵan,' meddai Ffiffi. 'Mae'n rhaid inni 'i siapio hi. Mi fydd Nain yma toc.'

Roedd o'n waith blinedig iawn. Teimlai Ffiffi fod yn rhaid iddi archwilio pob modfedd sgwâr o'r carped er mwyn gwneud yn siŵr nad oedd wedi colli unrhyw beth pwysig. Er gwaethaf yr holl graffu manwl, ni ddaeth neb o hyd i ddim byd anarferol yn yr ystafelloedd i lawr y grisiau chwaith.

'Gwranda, Ffiffi, mae'n rhaid i mi fynd adre,' meddai Lowri gan edrych ar ei horiawr.

'O na! Ydi hi 'di mynd mor hwyr â hynna? Mi laddith Mam fi,' ymunodd Anwen. 'Ffiffi, mae'n rhaid i mi 'i heglu hi.'

'Popeth yn iawn. Diolch am eich help. Mi fyddai 'di cymryd oesoedd i mi neud hyn i gyd ar 'y mhen fy hun,' meddai Ffiffi'n ddiolchgar. 'Wela i chi'ch dwy fore dydd Llun?'

'Paid â rwdlan!' gwgodd Lowri. 'Mi fyddwn ni draw 'ma'r peth cynta bore fory . . . wel, mi fydda i, beth bynnag.'

'Mi fydda inna yma hefyd, paid â phoeni,' meddai Anwen yn ddig.

Edrychodd Ffiffi ar ei ffrindiau. Ceisiodd wenu. 'Diolch.' Ni wyddai beth arall i'w ddweud.

'A phaid ti â phoeni, ddeudwn ni 'run gair wrth neb,' meddai Lowri. 'Yn na wnawn, Anwen?'

'Argol! Na wnawn! Ddim un gair,' cytunodd Anwen.

Yr eiliad honno, canodd cloch y drws.

'Nain fydd honna,' meddai Ffiffi. Agorodd y drws, gydag Anwen a Lowri yn sefyll y tu ôl iddi.

'Helô, Ffion. Helô, ferched.' Camodd Nain dros y trothwy gan gau'r drws yn gadarn y tu cefn iddi. 'Argian annwyl, mae'n oer allan.'

'Helô, Mrs Owen,' meddai Anwen. 'Roeddan ni ar fin gadael.'

'Peidiwch â gadael i mi'ch hel chi o 'ma,' meddai Nain gan godi'i haeliau.

'Dydach chi ddim – wir yr. Roeddan ni ar fin gadael go iawn,' meddai Lowri. 'Welwn ni chdi fory, Ffiffi,' sibrydodd, gan ychwanegu, 'pob lwc efo'r olion bysedd.'

Agorodd Ffiffi'r drws i'w ffrindiau a gwyliodd nhw'n cerdded i lawr yr allt at yr arhosfan bws.

'Am ba olion bysedd roedd Lowri'n sôn?' gofynnodd Nain.

'Mi glywsoch chi!' rhyfeddodd Ffiffi.

'Wrth gwrs! Chi bobol ifanc! 'Dach chi'n meddwl fod rhywun yn barod i fynd i'w fedd unwaith y bydd o 'di cyrraedd 'i ddeugain!' Gwenodd Nain. 'Felly, be ydi hyn am olion bysedd, 'ta?'

'Nain . . . mae gen i rywbeth i ddeud wrthach chi,' meddai Ffiffi'n benisel. 'Dwi'n meddwl y basa'n well i chi eistedd i lawr.'

Dyma ni – bant â'r cart! Dyna'r peth gwaethaf y bu'n rhaid i Ffiffi ei wneud erioed.

Nid oedd Nain yn ei chredu i ddechrau. Jôc ddi-chwaeth iawn, dyna alwodd hi'r cyfan. Dim ond pan berswadiodd Ffiffi hi i ffonio Ditectif

Williams y newidiodd ei gwep o fod yn andros o flin efo Ffiffi i fod yn andros o bryderus. Gwrandawodd Ffiffi ar ei nain yn siarad efo Ditectif Williams – roedd ofn ac anghrediniaeth i'w clywed yn ei llais. Pan roddodd Nain y ffôn i lawr o'r diwedd, ni ddywedodd neb yr un gair.

'Pam na faset ti 'di'n ffonio i, Ffion?' gofynnodd Nain o'r diwedd. 'Mi ddylet ti fod 'di deud wrtha i'n syth. Pam na faset ti 'di deud wrtha i dros y ffôn?'

'Fedrwn i ddim. Ro'n i'n meddwl y basa'n well deud wrthach chi pan oeddech chi yma. Pan oedden ni efo'n gilydd,' sniffiodd Ffiffi.

Amneidiodd Nain ar Ffiffi i ddod ati. 'Ty'd yma.'

Cofleidiodd y ddwy'n dawel yng nghanol y lolfa.

'Dwi'n meddwl y gwna i omlet gaws fach neis i ti,' meddai Nain yn gadarn mewn munud. 'Mae'n rhaid i ti fwyta i gael dipyn bach o nerth.'

'Nain!' meddai Ffiffi wedi'i synnu. 'Sut allwch chi feddwl am wneud omlet ar adeg fel hyn?'

'Twt lol. Rwyt ti ar dy dyfiant. Mae'n rhaid i ti fwyta er mwyn i dy gorff di dyfu,' meddai Nain, a oedd eisoes ar ei ffordd i'r gegin.

'Ond Nain, allwn i ddim bwyta briwsionyn,' galwodd Ffiffi ar ei hôl.

'Dim lol rŵan, Ffion. Mae'n rhaid i ti fwyta,' galwodd Nain yn ôl.

Ni wyddai Ffiffi ai bygythiad, rhybudd neu

addewid oedd geiriau ei nain. Gwyddai, fodd bynnag, nad oedd diben dadlau gyda hi unwaith yr oedd wedi rhoi ei meddwl ar rywbeth. Dilynodd Ffiffi ei nain i'r gegin yn anfodlon. Beth oedd yn bod ar Nain? Doedd dim *ots* ganddi am ei thad?

'Ffion, does gen ti'm wyau,' meddai Nain a'i phen wedi'i gladdu yn yr oergell. Sythodd, gan ychwanegu 'a ble mae'r llysiau a'r ffrwythau ffres?'

'Does 'na'm llawer o ddim byd yn yr oergell, Nain, achos roedd Dad a finna i fod i fynd i siopa fory,' eglurodd Ffiffi gan grensian ei dannedd.

Ni wnaeth hyn argraff dda iawn ar Nain. 'Mi ddyla dy dad wneud yn siŵr fod 'na ddigon o fwyd yn yr oergell 'ma bob amser, fel y bydda i'n neud. Hmm. O leia mae 'na laeth a chaws yma. Mi wna i 'chydig o gaws macaroni blasus i ni'n dwy.'

Aeth ias i lawr cefn Ffiffi. Roedd caws macaroni'n swnio mor ddeniadol â phlataid o bryfaid genwair llithrig, llysnafeddog. Edrychodd yn gas ar ei nain. Roedd Dad ar goll, a'r unig beth oedd ar feddwl ei nain oedd caws macaroni!

'Ond cyn y gallwn ni goginio dim, mae'n rhaid inni dacluso'r gegin 'ma,' meddai Nain. 'Rwyt ti'n gwybod yn iawn na fedra i weithio mewn cegin flêr.'

Ni ddywedodd Ffiffi'r un gair, ond daliodd i wgu. Ni fyddai fyth wedi credu y gallai ei nain fod mor ddideimlad. Ni faddeuai hi fyth iddi am hyn. Byth bythoedd!

'Mae'n rhaid imi . . . neud 'y ngwaith cartre yn gynta,' meddai Ffiffi'n oeraidd. 'Mi helpa i chi ar ôl i mi orffen.'

Trodd ar ei sawdl a brasgamodd allan o'r gegin. Nid oedd Nain yn malio am neb ond amdani hi ei hunan. Dyma lle'r oedd Ffiffi'n poeni'i henaid am ei thad – un funud yn teimlo awydd crio a'r funud nesaf eisiau malu popeth yn deilchion, neu chwerthin mewn anghrediniaeth, neu wneud hyn i gyd ar yr un pryd hyd yn oed – a beth oedd Nain yn ei wneud? Caws macaroni!

Roedd Ffiffi hanner ffordd i fyny'r grisiau pan stopiodd yn stond. A oedd hi'n annheg efo'i nain . . .? Onid oedd ei nain wedi'i chofleidio yn y lolfa? Yna cofiodd Ffiffi am yr olwg ar wyneb ei nain pan siaradodd ar y ffôn efo Ditectif Williams.

Yn araf deg, cerddodd Ffiffi i lawr y grisiau ac yn ôl i'r gegin. Roedd ei nain yn plygu i lawr, wrthi'n estyn sosban allan o'r cwpwrdd. Cododd a sythodd, a'i chefn tuag at ei hwyres. Sniffiodd a symudodd ei dwylo at ei hwyneb. Llyncodd Ffiffi ei phoer yn galed. Yn ddigalon, sylweddolodd Ffiffi fod ei nain wedi cynhyrfu cymaint â Ffiffi ei hun ynglŷn â'r holl helynt, ond bod ei nain yn delio â hynny mewn ffordd wahanol. Pam na fyddai Ffiffi wedi gallu deall hynny ynghynt?

'Peidiwch â phoeni, Nain. Mi fydd Dad yn iawn,' meddai Ffiffi'n dyner.

Troellodd ei nain yn ei hunfan mewn braw. 'Argian fawr, Ffion! Mi roist ti fraw imi, hogan. Rŵan, dos o 'ma o dan draed, wir.'

Deallodd Ffiffi a gwenodd ryw fymryn. 'Na, Nain. Mi gaiff y gwaith cartre aros. Be 'dach chi isio imi neud?'

Ugain munud yn ddiweddarach, cafodd Ffiffi ei hanfon allan i wagio'r sbwriel i mewn i'r bin sbwriel mawr yng ngwaelod yr ardd.

Ar ôl swper, mi a' i i chwilio am rywfaint o olion bysedd Dad, meddyliodd.

Yn llofft ei thad roedd y siawns orau o ddod o hyd i rai. Cerddodd Ffiffi allan i'r ardd gan anelu at y bin sbwriel a oedd yn union wrth ymyl y giât yng ngwaelod yr ardd. Cododd gaead y bin ac roedd ar fin gollwng ei bag o sbwriel i mewn iddo pan neidiodd yn ei hôl, a bron â cholli'i gafael ar y bag oedd yn ei llaw. Roedd rhywbeth ar ben y bagiau sbwriel eraill oedd wedi'u cau yn y bin. Rhywbeth nad oedd yno o'r blaen. Rhywbeth a allai fod yn bwysig iawn.

Pecyn sigaréts gwag.

Pennod 7

Nain . . . Mae Gen i Ofn

'Nain, ga i fynd i neud 'y ngwaith cartre rŵan, plîs?' gofynnodd Ffiffi.

'Argian! Rwyt ti mor frwdfrydig!' meddai Nain. 'Mi rwyt ti 'di gorffen gwthio'r caws macaroni o gwmpas dy blât felly, do?'

Nodiodd Ffiffi.

'I ffwrdd â ti, 'ta!' chwifiodd Nain ei llaw. 'Mi gliria i bopeth yn fan'ma.'

Doedd Nain prin wedi gorffen ei brawddeg nad oedd Ffiffi allan o'r lolfa a hanner ffordd i fyny'r grisiau.

'Diolch, Nain! Croeso, Ffion!' meddai Nain wrthi'i hun.

'Mi glywis i hynna!' gwaeddodd Ffiffi, heb aros.

Rhedodd Ffiffi i'w llofft, a chau'r drws yn dawel ar ei hôl. Gan orwedd ar ei bol ar y carped, estynnodd ei phecyn ysbïo o dan y gwely. Roedd wedi'i roi yno ar ôl i Lowri ac Anwen adael, gan nad oedd am i'w nain sylweddoli beth roedd yn ei wneud. Eisteddodd Ffiffi ar ei gwely, gyda'r pecyn ysbïo o'i blaen, cyn agor y cês. Roedd y ffolder ar ben popeth arall yn y cês. Uwchben y geiriau CYFRINACHOL IAWN, sgwennodd Ffiffi 'HELYNT Y TWLL YN Y WAL'. Yna agorodd y ffolder. Beth oedd ganddi ynddo? Olion bysedd Lowri ac Anwen, rhan o ôl cledr llaw rhywun (tystiolaeth ddiwerth mwy na thebyg), olion bysedd eraill (dienw), darn o frethyn glas (diwerth eto mae'n siŵr), ychydig o lwch sigaréts a rŵan pecyn gwag o sigaréts – y tri olaf mewn bagiau dal tystiolaeth. Dim byd gwerthfawr iawn. Ond wedyn, mi roedd o'n ddechrau, yn doedd? Cododd Ffiffi'r bag tystiolaeth a ddaliai'r pecyn sigaréts, gan wgu arno. Gallasai'r pecyn yma fod wedi cael ei daflu i'r bin sbwriel gan unrhyw un oedd yn digwydd cerdded heibio. Sut y gallai hi ddweud? Ond hyd nes y byddai hi wedi'i archwilio'n drwyadl, mi allasai o fod yn gliw pwysig. Felly i ble'r oedd y cliwiau hyn i gyd wedi'i harwain hi yn ei hymchwiliad?

Yr ateb – i nunlle. *Eto*.

Gydag ochenaid, ysgeintiodd Ffiffi bowdwr golau ar y pecyn sigaréts tywyll er mwyn cymryd olion bysedd, yna brwsiodd y powdwr oedd dros ben i ffwrdd yn ofalus. Archwiliodd y pecyn gyda'i chwyddwydr. Roedd yna olion bysedd arno'n sicr, ond roedden nhw wedi'u smwtshio a'u crebachu cymaint fel ei bod hi'n anodd dweud pryd roedd ôl un bys yn gorffen a'r llall yn dechrau.

'Mi gadwa i'r paced yr un fath,' meddai Ffiffi wrthi'i hun ar ôl meddwl am funud.

Wedi'r cyfan, efallai fod yna rhyw gliwiau eraill arno a'i bod hi wedi methu eu gweld. Efallai . . . 'Aros funud . . .' syllodd Ffiffi i lawr ar y pecyn.

Roedd hi newydd gael syniad – syniad gwych! Olion bysedd ar du allan y bocs oedd ganddi, ond beth am y *tu mewn*?

Gan ddefnyddio'r plyciwr, agorodd Ffiffi gaead y pecyn. Ceisiodd feddwl sut y byddai'n gafael yn y pecyn pe bai'n ceisio tynnu sigarét allan ohono. Yr unig le tebygol am olion bysedd fyddai un ai ar y pen uchaf i'r tu mewn, neu ar yr ochrau. Gan fod y tu mewn wedi'i leinio efo papur sidan gwyn, defnyddiodd Ffiffi bowdwr tywyll i chwilio am olion bysedd. Gan frwsio'r powdwr oedd dros ben i ffwrdd yn ofalus eto, astudiodd y tu mewn i'r pecyn. Curodd ei chalon fel gordd. Dyna lle'r oedd o – ôl un bys ar du mewn caead y pecyn.

‘Ôl bawd?’ tybiodd Ffiffi.

Chwiliodd am dâp gludiog ar y bwrdd ar ochr ei gwely. Byddai’n anodd iawn codi’r print gan ei fod mewn lle mor drwsgl, a dim ond un cyfle oedd ganddi i wneud hynny’n iawn. Pe bai’n gwneud camgymeriad, mi fyddai’n siŵr o’i chwalu ac yna mi fyddai’n ei golli am byth. Sychodd Ffiffi ei thalcen a thynnodd yn ei blows i’w rhyddhau oddi ar ei chefn chwyslyd. Cymerodd ei gwynt ati a’i ddal, cyn gosod y tâp gludiog dros yr ôl bys. Teimlai fel pe bai’n crynu trwyddi, a bod hyd yn oed ei gwaed yn crynu hefyd, ond symudodd ei dwylo’n araf a chadarn. Yr eiliad yr oedd y tâp gludiog dros yr ôl bys, pliciodd Ffiffi o i ffwrdd eto cyn iddo gael cyfle i lynu i’r papur sidan. Gosododd yr ôl bawd o dan yr olion eraill yr oedd wedi’u casglu’r diwrnod hwnnw. Dyna pryd yr ymlaciodd, gan anadlu allan, ac yna anadlu’n ddwfn wedyn i gael ei gwynt yn ôl. Roedd hi wedi llwyddo!

Yn ei llawysgrifen orau, ychwanegodd fanylion at bob un o’r labeli o dan bob set o olion bysedd a oedd ganddi:

OLION ANWEN
LLAW CHWITH: bawd, bys blaen, bys canol, bys modrwy, bys bach.
LLAW DDE: bawd, bys blaen, bys canol, bys modrwy, bys bach.

OLION LOWRI
LLAW CHWITH: bawd, bys blaen, bys canol, bys modrwy, bys bach.
LLAW DDE: bawd, bys blaen, bys canol, bys modrwy, bys bach.

F'OLION I
LLAW CHWITH: bawd, bys blaen, bys canol, bys modrwy, bys bach.
LLAW DDE: bawd, bys blaen, bys canol, bys modrwy, bys bach.

DIENW
OLION CLEDR a ddarganfuwyd ar du allan dwrn drws gweithdy Dad.

DIENW
RHAN O OLION BYSEDD a ddarganfuwyd ar du mewn dwrn drws gweithdy Dad.

DIENW
ÔL BYS (BAWD?) a ddarganfuwyd ar du mewn pecyn o sigaréts oedd yn y bin y tu allan ar waelod yr ardd.

Y dasg nesaf oedd dod o hyd i rywbeth â set dda o olion bysedd ei thad arno. Aeth Ffiffi allan i ben y grisiau a phwyso dros y canllaw. Roedd Nain i lawr y grisiau yn ffidlan o gwmpas y gegin. Cerddodd Ffiffi ar flaenau'i thraed i lofft ei thad gan gau'r drws cyn cynnau'r golau. Brathwyd hi gan ofn oeraidd. Roedd hi'n crynu eto. Dyma hi yn llofft ei thad – *ond ble'r oedd o*? Nid oedd Ffiffi erioed wedi poeni cymaint. Roedd o'n deimlad ofnadwy. Roedd ei thu mewn yn cnoi nes gwneud iddi deimlo awydd sgrechian, er mwyn gadael y cyfan allan.

Cymerodd anadl ddofn ac edrychodd o'i chwmpas yn araf. Roedd cyflwr llofft ei thad bron cyn waethed â'i weithdy. Gwenodd Ffiffi, er gwaethaf popeth. Camodd dros wifrau a phlygiau ac allweddell cyfrifiadur, a phob math o geriach oedd yn strim-stram-strellach ar draws y stafell. Roedd yna bob math o lefydd tebygol lle gellid dod o hyd i olion ei fysedd, ond roedd yn rhaid iddo fod yn rhywbeth y câi set dda o olion oddi arno. A beth am herwgipwyr ei thad? Mae'n siŵr eu bod wedi chwilota yma am ei osgiliadur. Dywedodd ei thad yn ei lythyr eu bod wedi chwilio drwy'r tŷ i gyd. Felly sut gallai Ffiffi wneud yn siŵr ei bod yn darganfod rhywbeth efo olion bysedd Dad, a neb ond Dad, arno? Llyfodd Ffiffi ei gwefusau wrth edrych o gwmpas y stafell unwaith eto. Mae'n rhaid fod yna rhywbeth . . .

Swits y golau ar y wal? Na, mi fyddai'r olion bysedd yna wedi'u smwtshio'n reit siŵr. Un o lyfrau'i thad? Na . . .

Mae'n rhaid fod yna rywbeth . . .

Yna gwelodd Ffiffi'r ateb.

Y bylb golau y tu mewn i'r lamp wrth ymyl y gwely! Wrth gwrs! Dim ond unwaith y byddai ei thad wedi gorfod rhoi'r bylb yn y lamp ac ni fyddai'n rhaid iddo'i gyffwrdd eto hyd nes y byddai angen ei newid. Yr unig broblem oedd sut y gallai Ffiffi ei ddatod o'i soced heb adael ei holion bysedd hi'i hun drosto? Fe allai wisgo menig, mae'n debyg, ond tybed a fyddai hynny'n difetha unrhyw olion bysedd eraill?

Cerddodd Ffiffi draw at y lamp wrth ochr y gwely. Os byddai'n ddigon gofalus, mi ddylai fod yn iawn. Roedd yn rhaid iddi fentro. Gan ddefnyddio cledr ei llaw yn unig, gwthiodd Ffiffi'r bylb i lawr a'i droi, gan wneud yn siŵr mai dim ond â gwaelod y bylb y cyffyrddai, ac nid â'r ochrau. Sbonciodd y bylb allan o'i soced, a dim ond cledr ei llaw yn pwyso i lawr arno a'i arbedodd rhag syrthio ar y bwrdd. Gan ddefnyddio bawd a bys blaen ei llaw arall, cydiodd Ffiffi yn rhan isaf y bylb gan ei wthio i lawr tuag at ei soced a'i godi allan o'r lamp.

Ddeng munud yn ddiweddarach roedd ganddi set arall o olion bysedd i'w hychwanegu at ei ffolder CYFRINACHOL IAWN. O dan yr olion fe sgwennodd:

OLION BYSEDD DAD

Set gyflawn, mwy na thebyg o'i law chwith gan

fod dad yn llaw chwith. Darganfuwyd ar fylb y lamp wrth ymyl ei wely.

Cymharodd Ffiffi olion bysedd ei thad â'r olion a gafodd o'r pecyn sigaréts. Nid oeddynt yn ddim byd tebyg – a dweud y gwir doedd yr un o'r setiau o olion bysedd a gafodd yn debyg iddynt o gwbl. Ond i wneud yn siŵr, byddai'n rhaid iddi ddod o hyd i set arall o olion bysedd llaw dde ei thad. Edrychodd Ffiffi unwaith eto trwy ei ffolder HELYNT Y TWLL YN Y WAL. Ni chafodd unrhyw syniad newydd. Ar ôl hynny, yr unig beth roedd Ffiffi am ei wneud oedd cysgu. Bu'n ddiwrnod hir iawn, iawn ac ni fyddai o unrhyw werth i'w thad pe bai'n rhy flinedig i feddwl yn y bore. Glanhaodd ei dannedd, rhoi sws-nos-da i'w nain, mynd yn ôl i'w llofft a chwympo i mewn i'w gwely, gan gofleidio ei ffolder HELYNT Y TWLL YN Y WALL yn ei chôl.

Roedd bore dydd Sadwrn yn fore heulog braf, heb gwmwl i'w weld yn yr awyr o gwbl bron. Aeth Ffiffi am gawod sydyn cyn gwisgo. Roedd ganddi lawer i'w wneud heddiw ac nid oedd am wastraffu eiliad.

Dim ond ar ôl i Ffiffi ddod allan o'r gawod y sylweddolodd fod rhywbeth wedi bod yn ei drysu ers iddi gamu allan o'i llofft. Roedd pen y grisiau yn daclus! Dim gwifrau, dim tâp insiwleiddio – doedd dim byd ar garped pen y grisiau iddi faglu drosto ar ei ffordd i'r stafell ymolchi. Roedd Nain wedi bod yn brysur! Yna daeth rhyw syniad erchyll i feddwl Ffiffi. Rhedodd i lofft ei thad.

Roedd fel pìn mewn papur!

Roedd y gwely'n daclus a gellid gweld y carped hyd yn oed! Roedd yr holl drugareddau oedd yn frith ar y llawr y noson cynt wedi'u cadw mewn bocs yng nghornel y stafell.

'O na!' cwynodd Ffiffi.

Sut oedd hi'n mynd i gael set o olion bysedd llaw dde ei thad rŵan? Ni fyddai'n gwybod pa olion bysedd fyddai'n perthyn i'w nain a pha rai fyddai'n perthyn i'w thad. Gallai gymryd olion bysedd ei nain wrth gwrs, ond na . . . ni fyddai ei nain fyth yn cytuno i'r fath beth!

'Fel mae petha'n mynd, mi fydda i'n gorfod cymryd olion bysedd y cymdogion i gyd,' mwmiodd Ffiffi'n flin.

Edrychodd o gwmpas y llofft unwaith eto. Ni fyddai ei thad yn gallu dod o hyd i unrhyw beth yng nghanol yr holl daclusrwydd yma! Fe âi'n gandryll pan welai'r lle!

'Ac mi fyddwch chi *yn* ei weld o, Dad,' sibrydodd Ffiffi wrth iddi fynd i lawr y grisiau.

Fel yr oedd wedi'i ofni, roedd y tŷ i gyd yn hollol daclus. Roedd pob arwynebedd bwrdd wedi'i sychu ac roedd llwch wedi'i dynnu oddi ar bob dodrefnyn, roedd y carpedi wedi'u hwfro, a phob bolltyn a sgriw colledig wedi'u cadw.

Mae fel bod mewn tŷ hollol wahanol, meddyliodd Ffiffi wrth eistedd i lawr i gael ei brecwast.

Ymunodd Nain â hi, a phowlenaid o greision ŷd mewn llaeth cynnes o'i blaen. Crychodd Ffiffi ei thrwyn. Diolch byth nad oedd Nain yn mynnu ei bod hi'n gorfod bwyta'r un brecwast â hi.

'Chysges i'r un winc,' ochneidiodd Nain. Cododd ei llwy at ei cheg cyn ei gollwng i lawr yn swnllyd yn ôl i'r fowlen. Gwthiodd ei brecwast o'r neilltu, heb fwyta dim ohono. Edrychodd Ffiffi ar ei nain mewn syndod.

'Does gen i ddim awydd bwyd,' meddai Nain yn swta.

Plygodd Ffiffi ei phen. Astudiodd y selsig a'r ffa pob ar dost a phenderfynu nad oedd ganddi hithau awydd bwyd chwaith.

'Mi fydd o'n iawn, Ffion,' meddai Nain.

Edrychodd Ffiffi i fyny. Roedd ei nain yn gwenu arni. Gwenodd Ffiffi'n ôl.

Yr eiliad honno, canodd cloch y drws.

'Pwy sy 'na rŵan 'to, mor fuan yn y bore?' Bu bron i aeliau Nain gwrdd yn y canol wrth iddi wgu cymaint.

Cododd ar ei thraed ac aeth i ateb y drws. Dilynodd Ffiffi hi. Roedd y cysgod a welai drwy'r panel gwydr yn y drws yn edrych yn gyfarwydd.

Agorodd Nain y drws. Ditectif Williams oedd yno. Gwisgai drowsus melfaréd glas tywyll, crys glas golau a'r un siaced ledr ag a wisgai'r diwrnod cynt.

'Helô. Mae'n ddrwg gen i'ch poeni chi. Mrs Owen ydach chi, dwi'n cymryd – nain Ffion?' dywedodd Ditectif Williams.

'Ia. Alla i'ch helpu chi?' gwgodd Nain.

'Ditectif Williams ydw i. Mi siaradon ni ar y ffôn ddoe. Alla i ddod i mewn? Mi hoffwn i gael gair efo Ffion,' meddai'r ditectif.

'Ydach chi 'di dod o hyd i Dad?' gofynnodd Ffiffi'n eiddgar.

'Ym . . . ddim yn hollol. Dyna pam dwi isio siarad efo chi.' Crymodd Ditectif Williams ei wddf i weld heibio i Nain. 'Ffion, dwi isio siarad am yr osgiliadur anwytho.'

''Dach chi byth 'di dod o hyd i'm mab i?' holodd Nain yn ddiamynedd. 'A be'n union mae'r heddlu'n neud, 'ta? Hm! Eistedd ar eu tinau'n yfed te ac yn chwara cardia tra galla fy mab i fod yn unrhyw le, mewn unrhyw fath o gyflwr!'

''Dan ni'n gneud popeth allwn ni, Madam. Os ga' i ddod i mewn . . .' meddai Ditectif Williams.

Cymerodd Nain ei gwynt ati. 'Cewch wrth gwrs. Sori,' ochneidiodd. 'Dewch ffordd hyn.'

Arweiniodd Ffiffi'r ffordd i'r lolfa. Safodd Nain wrth y drws wrth i'r ditectif sefyll o flaen Ffiffi.

'Ffion, ddaru chi ddod o hyd i unrhyw wybodaeth am yr osgiliadur anwytho?' gofynnodd.

'Naddo, ddim eto,' meddai Ffiffi'n ddifater. 'Beth am Dad? Ydach chi 'di dod o hyd i rywbeth, bellach?'

'Naddo, mae arna i ofn. Mae o'n dal ar ein rhestr "ar goll" ni,' meddai'r ditectif.

'Ar goll?' meddai Nain y tu ôl i'r ditectif. 'Ar goll! Mae cathod yn mynd ar goll. Mae ambaréls yn mynd ar goll. Mae fy mab i 'di cael 'i *herwgipio*!'

'Ydi, wrth gwrs, Mrs Owen,' meddai Ditectif Williams yn dyner.

'Hmmmm!' Plethodd Nain ei breichiau'n flin ar draws ei brest.

Trodd Ditectif Williams at Ffiffi eto. 'Ro'n i'n digwydd mynd heibio felly mi bicies i mewn rhag ofn eich bod wedi dod o hyd i ryw wybodaeth ysgrifenedig am yr osgiliadur anwytho,' meddai Ditectif Williams. 'Mae'n bwysig ein bod ni'n cael gafael ar nodiadau'ch tad cyn gynted â phosib – gan gymryd yn ganiataol na fydd o'n deud y cyfan wrth yr herwgipwyr, yndê?'

'Byth bythoedd!' meddai Ffiffi a'i nain fel parti llefaru.

'Hmmm! Ydi'r herwgipwyr 'di bod mewn cysylltiad â chi?' gofynnodd Ditectif Williams.

Ysgydwodd Ffiffi ei phen. 'Dydan ni ddim 'di clywed gair, nac'dan Nain?' atebodd. 'Ond mae'r herwgipwyr 'di cael be maen nhw isio – Dad a'i osgiliadur – felly pam fasan nhw isio cysylltu efo fi neu Nain?'

‘’Dan ni’n gweithio ar sawl theori,’ oedd y cyfan a ddywedodd Ditectif Williams. ‘Ffion, dwi am i chi gysylltu â mi os clywch chi unrhyw beth gan eich tad neu gan yr herwgipwyr. Cofiwch. Ac os dewch chi o hyd i unrhyw wybodaeth am yr osgiliadur, cysylltwch â mi ar unwaith. Mae fy rhif ffôn i gynnoch chi. Peidiwch ag anghofio rŵan.’

‘Wna i ddim,’ nodiodd Ffiffi. ‘Ym . . . Ditectif Williams, ydi’r heddlu ’di deud wrth unrhyw fancia neu gymdeithasa adeiladu eraill am osgiliadur Dad?’

‘Na. Roeddan ni am gael mwy o wybodaeth amdano fo, neu am siarad efo’ch tad yn gynta,’ meddai Ditectif Williams gan wgu. ‘Pam?’

‘Dim rheswm. Dim ond meddwl o’n i.’ Cododd Ffiffi’i hysgwyddau.

Hebryngodd Nain y ditectif i’r drws. Arhosodd Ffiffi ble’r oedd hi. Ni allai gredu y byddai ei thad yn dweud unrhyw beth am yr osgiliadur wrth ei herwgipwyr – felly beth fydden nhw’n ei wneud wedyn? A fydden nhw’n ei frifo fo? Cerddodd Nain yn ôl i’r lolfa.

‘Nain . . . mae gen i ofn, Nain,’ cyfaddefodd Ffiffi gan sibrwd.

Daeth ei Nain ati, a’i chofleidio’n dynn. ‘A finna hefyd, Ffion fach,’ meddai Nain. ‘A finna.’

Pennod 8

Gollwng y Gath o'r Cwd

'Dwi isio mynd i'r gymdeithas adeiladu,' datganodd Ffiffi. 'Mi feddylies i'n sydyn y bore 'ma – os mai dim ond y gymdeithas adeiladu a'r heddlu sydd i fod yn gwybod am osgiliadur anwytho Dad, sut daeth yr herwgipwyr i wybod amdano fo felly?'

'Pwynt dilys,' meddai Anwen yn ei Chymraeg gorau.

'Ro'n i'n meddwl hynny hefyd,' gwenodd Ffiffi. 'Felly ro'n i'n meddwl y baswn i'n siarad efo rheolwr y gymdeithas adeiladu i weld ydi o neu hi 'di siarad efo unrhyw ohebwyr neu 'di deud wrth unrhyw fancia neu gymdeithasa adeiladu eraill. Fasa'r heddlu ddim 'di deud wrth neb.'

‘Beth am fynd yno rŵan, ’ta,’ meddai Lowri’n gadarn.

Newydd gyrraedd oedd Lowri ac Anwen. Bu Ffiffi’n aros amdanynt wrth y giât. Roedd hi ar bigau’r drain eisiau gwneud rhywbeth. Bu’n hel gormod o feddyliau wrth eistedd o gwmpas y tŷ drwy’r bore.

Treuliwyd y daith bws ugain munud i’r gymdeithas adeiladu yn trafod y pecyn sigaréts a’r olion bysedd a gafodd Ffiffi’r noson cynt. Llusgodd y bws ar ei daith. Roedd Ffiffi *ar dân* eisiau siarad efo rheolwr y gymdeithas adeiladu. Teimlai ei bod yn dod yn nes at ddarganfod yr herwgipwyr. Pe bai’n dod o hyd i’r hyn a arweiniodd yr herwgipwyr at ei thad, yna byddai ar y trywydd iawn. Mae’n rhaid fod rhywun yng nghymdeithas adeiladu ei thad wedi dweud rhywbeth wrth rywun. Dyna’r unig esboniad.

Ond wedi iddynt gyrraedd y gymdeithas adeiladu, doedd Ffiffi ddim yn siŵr beth i’w wneud nesa.

‘Wel, dyma ni,’ meddai’n nerfus. ‘Dydw i ddim wedi bod i mewn ’ma o’r blaen.’

‘Fedrwn ni ddim gneud dim byd allan yn fan’ma,’ meddai Lowri. ‘Well i ni fynd i mewn.’

Aethant i mewn. Ar ôl cynhesrwydd yr haul y tu allan, fe deimlai swyddfa’r gymdeithas adeiladu fel oergell. Crynodd Ffiffi. Os mai dyma oedd effaith system dymheru yna byddai’n well gan Ffiffi wneud hebddo, diolch yn fawr!

'Well i ni ymuno â'r ciw wrth y ddesg ymholiada,' awgrymodd Lowri. Arweiniodd Lowri'r ffordd ac fe safodd y tair yn y ciw efo'i gilydd. Dywedodd Anwen beth oedd ar feddwl pawb.

'Wnân nhw adael i dair merch ifanc siarad efo'r rheolwr?' gofynnodd.

'Mi wnawn ni fynnu,' meddai Ffiffi'n llym.

Gwenodd Anwen ar Ffiffi. Gwenodd Ffiffi'n ôl arni. Nid oedd wedi teithio cyn belled â hyn dim ond i gael ei gwrthod wedyn.

Symudai'r ciw yr un mor araf â'r bws. Roedd Ffiffi'n casáu'r holl sefyllian o gwmpas yma. Roedd hi eisiau *gwneud* rhywbeth. O'r diwedd roedden nhw ar flaen y ciw.

'Esgusodwch fi,' dechreuodd Ffiffi. 'Mi faswn i'n . . . lecio . . . siarad . . .' Aeth ei llais ar chwâl yn llwyr.

'Oes 'na rywbeth o'i le? Alla i'ch helpu chi?' gofynnodd yr ariannwr y tu ôl i wydr y ddesg.

Edrychodd Anwen a Lowri ar Ffiffi, gan ddyfalu beth oedd yn bod arni.

''Drychwch!' Pwyntiodd Ffiffi heibio'r ariannwr i'r fan lle'r oedd gweddill staff y gymdeithas adeiladu'n gweithio wrth eu desgiau.

'Be?' meddai Lowri, ar goll yn lân.

'Draw yn fan'na. Y dyn 'na. '*Drychwch!*' meddai Ffiffi'n daer.

Edrychodd Anwen a Lowri draw i'r cyfeiriad lle

anelai Ffiffi ei bys. Eisteddai dyn barfog wrth ei ddesg; desg oedd â thwr o bapurau a hambyrddau ffeilio arni. Roedd wedi ymgolli yn ei waith. Yn ei law chwith daliai ddalen o bapur, ac roedd yn brysur yn ei hastudio'n ofalus. Drymiai ei law dde ar y bwrdd wrth iddo ddarllen.

'Beth amdano fo?' gofynnodd Anwen.

'Alla i'ch helpu chi? 'Dach chi'n rhwystro'r ciw rhag symud yn ei flaen,' meddai'r ariannwr yn amyneddgar.

'O, ym . . . y dyn 'na yn fan'cw – fo wnaeth fy helpu i o'r blaen ond alla i ddim cofio'i enw fo,' meddai Ffiffi.

Trodd yr ariannwr ei ben. 'Pwy? Lewis?'

'Lewis. Ie, dyna oedd 'i enw fo, dwi'n cofio rŵan,' nodiodd Ffiffi'n gyflym. 'Mi helpodd o fi efo ymholiad pan o'n i isio agor cyfri yma'n ddiweddar.'

''Dach chi'n siŵr mai Lewis oedd o?' Trodd yr ariannwr i wynebu Ffiffi, gydag ychydig o syndod ar ei wyneb. 'Dwi'n meddwl eich bod chi 'di gneud camgymeriad. Clerc gohebiaeth ydi Lewis.'

'Be mae clerc gohebiaeth yn 'i neud?' gofynnodd Ffiffi'n eiddgar.

'Agor llythyra ac yn y blaen,' rhoddodd Lowri ei phig i mewn.

'Ie. Mae'n gneud yn siŵr fod y llythyrau i gyd yn mynd at y bobl iawn yn yr adrannau cywir. A fo sy'n delio efo pob llythyr sy'n mynd allan hefyd. Pam?' gofynnodd yr ariannwr.

'Esgusoda fi, cariad, dwi ar frys.' O'r tu ôl iddyn nhw yn y ciw, tapiodd hen wreigan â gwallt gwyn Ffiffi ar ei hysgwydd.

'Fydda i ddim yn hir. Gaddo.' Trodd Ffiffi yn ei hôl at yr ariannwr. 'Ydi pob llythyr a phecyn yn mynd ato fo'n gynta?'

'Ydyn.' Nodiodd yr ariannwr.

'Dwi'n siŵr mai efo fo wnes i siarad,' mynnodd Ffiffi. 'Ei enw ola fo ydi . . . Davies.'

'Na, Morris ydi o,' meddai'r ariannwr. 'Lewis! LEWIS! Mae'r ferch 'ma'n deud . . .'

'NA! PEIDIWCH!' meddai Ffiffi.

Ond roedd hi'n rhy hwyr.

Edrychodd Lewis Morris i fyny ac ar draws i gyfeiriad yr ariannwr. Yna sylwodd ar Ffiffi. Gwelodd Ffiffi o'n dychryn ryw fymryn a gwyddai ei fod wedi ei hadnabod, yn union fel yr oedd hi wedi ei adnabod o. Teimlai'r eiliadau nesaf fel oes wrth i'r ddau syllu ar ei gilydd. Safodd Lewis ar ei draed yn araf, ei lygaid yn culhau.

'Na, nid fo oedd o wedi'r cyfan,' meddai Ffiffi'n gyflym. 'Sori. Dwi 'di gneud camgymeriad. Dewch, chi'ch dwy.'

Gafaelodd Ffiffi ym mreichiau Lowri ac Anwen a'u tynnu allan o'r ciw.

'Be andros oedd hynna i gyd?' gofynnodd Anwen

yn flin wrth iddyn nhw ei baglu hi allan i'r awyr agored.

Gwnaeth yr haul llachar y tu allan i lygaid Ffiffi smicio'n gyflym. Llyfodd ei gweflau.

"'Dach chi'n cofio'r Escort glas oedd 'di'i barcio gyferbyn â'n tŷ ni bnawn ddoe? Mi dynnis i'ch sylw chi ato fo – cofio?'

'Be amdano fo?' gofynnodd Anwen.

'Hwnna oedd y gyrrwr,' atebodd Ffiffi. 'Lewis Morris oedd gyrrwr y car.'

Rhythodd Lowri ac Anwen arni.

'Wyt ti'n siŵr?' gofynnodd Lowri.

'Hollol siŵr. Fo oedd o,' meddai Ffiffi. 'Roedd o'n gwisgo sbectol haul ddoe, ond mi wnes i 'i nabod o'r un fath.'

'Be oedd o'n neud y tu allan i'ch tŷ chi, 'ta?' gofynnodd Anwen.

Cododd Ffiffi'i hysgwyddau. 'Dwn i'm. Ond mae o'n dipyn o gyd-ddigwyddiad 'i fod o 'di parcio y tu allan i'r tŷ a rŵan 'dan ni'n darganfod 'i fod o'n gweithio yn y gymdeithas adeiladu mae Dad yn 'i defnyddio. Betia i chi 'i fod o'n gwybod rhywbeth am lythyr Dad a'r arian. Yr unig broblem rŵan ydi fod y twmffat ariannwr 'na 'di galw arno fo a bod Lewis 'di 'ngweld i.' Ni fedrai Ffiffi arbed ei llais rhag crynu mymryn. Ni wyddai ai crynu o ofn ynteu crynu oherwydd rhyw gyffro gwirion a wnâi – y ddau, efallai.

'Be ddylen ni neud?' gofynnodd Anwen.

Edrychodd Ffiffi ar ei horiawr.

'Wel, mae'r gymdeithas adeiladu'n cau mewn deng munud. Dim ond am hanner diwrnod maen nhw ar agor ar ddydd Sadwrn,' meddai gan feddwl yn galed. 'Felly be ddylen ni neud ydi aros i'r boi Lewis 'na ddod allan. Wedyn mi fydd yn rhaid i un ohonan ni 'i ddilyn o i weld i ble mae o'n mynd. Rydan ni angen gwybod ble mae o'n byw.'

'Gad i mi 'i ddilyn o!' erfyniodd Anwen. 'Dwi 'di darllen popeth am ddilyn pobl amheus yn llyfr cyfarwyddiada dy dad neithiwr.'

'Dwn i'm. Mi alla hynny fod yn beryglus. Yn andros o beryglus,' meddai Ffiffi. 'Dim ond un ohonan ni ddylai ddilyn Lewis Morris. Mi fyddai'n hawdd iddo fo sylwi ar ddwy neu dair ohonan ni. Os oes rhywun yn mynd i'w ddilyn o, fi ddylai neud.'

'Ond mae o'n gwybod pwy wyt ti,' dadleuodd Anwen. 'A beth bynnag, Ffiffi, alli di ddim gneud popeth dy hunan.'

'Dwi'n sylweddoli hynna, Anwen – a diolch am y cynnig, ond mae hyn yn ddifrifol. Mi wnaeth y dynion 'na herwgipio Dad achos eu bod nhw ar ôl arian, ac roeddan nhw'n meddwl mai trwy ddefnyddio osgiliadur anwytho Dad y basan nhw'n cael gafael ar beth. Dydi pobol fel'na ddim yn symud i'r ochr os ydach chi yn eu ffordd nhw – mi ân nhw'n syth drostoch chi. A faswn i byth yn madda i mi fy hun tasa rhywbeth yn digwydd i chi – i unrhyw un ohonach chi.'

Estynnodd Anwen ei llaw a'i gosod ar fraich Ffiffi.

'Ffiffi,' dechreuodd Anwen. 'Dwi'n gwybod falle 'mod i'n swnio fel taswn i ddim yn cymryd hyn o ddifri, ond mi rydw i, wir yr. Mae dy dad 'di cael 'i herwgipio a dwi isio gneud popeth alla i i helpu. Dwi hefyd yn gwybod 'i fod o'n beryglus, felly paid â phoeni – dwi'n bwriadu bod yn ofalus iawn, iawn wrth ddilyn ein Mr Morris ni.'

'Wrth gwrs, efallai na fydd rhaid i ni 'i ddilyn o o gwbl,' torrodd Lowri ar eu traws. 'Mi allwn ni chwilio am ei enw, ei gyfeiriad a'i rif ffôn o yn y llyfr ffôn.'

Edrychodd Ffiffi ac Anwen ar Lowri cyn i'r tair ddechrau gwenu.

'Dwi'n cael rhai syniada gwych *weithia*, 'chi!' meddai Lowri.

'Faswn i byth 'di meddwl am beth mor syml!' cyfaddefodd Ffiffi. 'Reit 'ta, Anwen – ti sy'n ennill. Mi gei di aros yma rhag ofn y bydd ein dyn ni'n gadael yn fuan a ddim yn mynd adre. Mi aiff Lowri a finna i'r blwch ffôn agosa i chwilio am fanylion amdano fo. Mi ddown ni'n ôl yn syth bìn.'

'Arhosa am funud fach!' meddai Lowri wrth y Ffiffi frwdfrydig a oedd ar fin carlamu i ffwrdd.

'Rhaid i ni gael cynllun wrth gefn *rhag ofn* i Lewis Morris benderfynu gadael yn gynnar cyn i ni ddod yn ôl.'

'Ti'n iawn!' cytunodd Ffiffi'n sychlyd. 'Gad imi feddwl rŵan. Be fydda Dad yn 'i awgrymu ar adeg fel hyn . . .? Wel . . . os wnaiff Lewis adael mewn car, does 'na fawr o ddim y gall Anwen neud. Mi all hi aros yma amdanon ni. Cytuno?'

Nodiodd Anwen. 'Cytuno.'

'Os aiff o i aros am fws, neu os dechreuith o gerdded i rywle, yna dos ar 'i ôl o, ond bydd yn *andros o ofalus* a phaid â mynd yn rhy bell allan o'r dre,' ychwanegodd Lowri.

'Os na fyddi di yma pan ddown ni'n ôl . . . mi heglwn ni hi am adre . . . ac aros i ti'n ffonio ni yno,' meddai Ffiffi'n araf. 'Wedyn mi ddown ni allan atat ti ble bynnag fyddi di. Y peth pwysica i ti'i gofio ydi i gymryd gofal. Ar yr arwydd cynta o drwbwl, neu os gwnaiff o sylweddoli dy fod ti'n 'i ddilyn o – rheda nerth dy draed!'

'Ti'n iawn!' ebychodd Anwen. 'Does dim angen i neb ddeud hynny wrtha i!'

Ac fe wahanodd y tair.

Yn y ganolfan siopa oedd y blwch ffôn agosaf. Doedd Lowri a Ffiffi ddim yn awyddus i golli golwg ar Anwen, ond doedd ganddyn nhw ddim dewis. Agorodd Ffiffi'r llyfr ffôn gan ddechrau chwilio drwy'r tudalennau.

'Iâ–hŵ! Mae o yma!' gwaeddodd, cyn cofio ble'r oedd hi.

Morris, Lewis, Derwen Deg, Maesaeron, Ger Llanfair (01531) 269426

'Oes gen ti feiro, Lowri?' gofynnodd Ffiffi.

'Oes, hwda hon,' meddai Lowri'n llawn cyffro.

Sgwennodd Ffiffi'r cyfeiriad a'r rhif ffôn i lawr ar gefn ei llaw.

'Mi faswn i 'di dod â'r pecyn ysbïo efo fi, ond ro'n i'n meddwl y basa fo yn y ffordd,' meddai Ffiffi.

'Ro'n innau 'di meddwl yr un fath. Dwi'n difaru na faswn i 'di dod â fo rŵan,' meddai Lowri.

Astudiodd Ffiffi'r hyn roedd hi wedi'i sgwennu. 'Derwen Deg, Maesaeron . . . Mae o'n byw'n reit bell allan o'r dre.'

'Y lle perffaith i gadw rhywun 'dach chi 'di'i herwgipio,' meddai Lowri. 'Llecyn allan o'r ffordd, wedi'i amgylchynu gan goed a chaea . . .'

'A dim gormod o gymdogion busneslyd,' gorffennodd Ffiffi. 'Ty'd 'laen. Awn ni'n ôl at Anwen.'

'Dal dy ddŵr am funud. Be tasan ni'n trio ffonio'i gartre fo'n gynta?' awgrymodd Lowri. ''Dan ni'n gwybod trwy lythyr dy dad fod 'na o leia un dyn arall ynghanol yr holl helbul 'ma'n rhywle. 'Falla fod yr ail ddyn yn nhŷ Lewis Morris yr eiliad yma.'

'Ond pa les wnaiff 'i ffonio fo?' gofynnodd Ffiffi.

Cododd Lowri'i hysgwyddau. 'Mi fasan ni'n

gwybod yn iawn wedyn a oes 'na berson arall yno. Os *bydd* 'na rywun arall yna, deuda dy fod ti'n casglu ar gyfer rhyw achos da neu'i gilydd, ond tria wrando ar synau eraill yn y cefndir ar yr un pryd. 'Falla y clywi di lais dy dad hyd yn oed.'

'Go brin!' meddai Ffiffi'n amheus.

'Ond mae'n werth rhoi cynnig arni. Does gen ti ddim byd i'w golli,' meddai Lowri.

Ni fedrai Ffiffi ddadlau efo hynny. Ar ôl deialu'r rhif, daliodd y ffôn rhwng ei chlust dde hi a chlust chwith Lowri. Dim ond unwaith y canodd y ffôn cyn iddo gael ei godi ar y pen arall.

'Er mwyn y nefoedd, Lewis, dwi'n symud cyn gynted ag y galla i. Rho'r gora i'n ffonio i. Ti'n panicio.' Swniai llais y dyn ar ben arall y ffôn yn flin ac yn ddiamynedd.

Neidiodd calon Ffiffi i'w gwddf. Ymbalfalodd am rywbeth i'w ddweud. Roedd geiriau'r dyn ar ben arall y ffôn wedi ei thaflu oddi ar ei hechel braidd.

'Helô. Dwi'n ffonio . . . dwi'n ffonio . . .' sychodd llais Ffiffi. Aeth ei meddwl fel slwj. Roedd y tawelwch ar ben arall y ffôn yn fyddarol.

'Pwy sy 'na?' gofynnodd y dyn o'r diwedd, a'i lais yn gryg.

Amneidiodd Lowri fel fflamiau ar Ffiffi i ddweud rhywbeth. Gwnaeth siâp ceg: 'Dos yn d'laen! Deuda rywbeth!'

Roedd ceg Ffiffi'n sych grimp, a'i thafod wedi

glynu i dop ei cheg. Llyncodd yn galed, yna llyncodd eto. Ond nid oedd gwneud hynny o ddim help iddi.

'Ga i . . . ga i siarad efo M–Mr Owen, plîs?' sibrydodd Ffiffi'r geiriau ar garlam. Ebychodd y dyn ar ben arall y ffôn.

'Pwy sy 'na? *Pwy sy 'na?*' gofynnodd, mewn llais blin.

Yna trawyd y ffôn i lawr yn glep ar ei echel.

Pennod 9

Dad oedd Hwnna!

'Ffiffi, ti'm yn gall! Pam ddeudest ti hynna?' gofynnodd Lowri mewn braw.

Syllodd Ffiffi ar y derbynnydd ffôn yn ei llaw. Roedd y sŵn grwndi a ddangosai fod y cysylltiad wedi'i dorri yn chwarae mig â hi.

'Ffiffi!' brathodd Lowri.

'Dy syniad di oedd ffonio'n y lle cynta,' dadleuodd Ffiffi.

'Wnes i erioed ddeud wrthat ti am ddeud *hynna*,' bytheiriodd Lowri. 'Rŵan mi fyddan nhw ar ein hola ni. Maen nhw'n gwybod ein bod ni'n meddwl fod dy dad di 'na.'

'Wnaeth . . . o jyst llithro allan,' meddai Ffiffi'n ddigalon. 'Beth bynnag, dydyn nhw ddim yn gwybod mai fi ffoniodd nhw.'

'Siarada'n gall, wnei di? Pwy arall fasa'n gneud?' gofynnodd Lowri, o'i cho'n lân efo Ffiffi.

Yn y bôn, roedd Ffiffi wedi cael cymaint o sioc ag yr oedd Lowri. Nid oedd wedi bwriadu gofyn hynny o gwbwl. 'Ro'n i jyst . . . wel, yn sydyn, yr unig beth o'n i'n gallu'i weld oedd Dad dan glo neu 'di'i glymu i fyny, a'r cyfan oherwydd yr hen declyn dwl 'na. Mae o yna! Dwi'n gwybod 'i fod o. Alla i *deimlo'r* peth.'

'Teimlo'r peth, myn cocos i!' bytheiriodd Lowri. 'Ffiffi, mae'n rhaid i ti gael mwy o brawf – wnaiff jyst *teimlo'r* peth mo'r tro. Does gan Ditectif Williams ddim diddordeb yn dy deimlada di. A be tasat ti'n anghywir? Be os mai brawd neu dad Lewis Morris oedd ar ben arall y ffôn, a bod ganddyn nhw affliw o ddim byd i neud efo dy dad?'

'O ie, ond roedd y dyn ar ben arall y ffôn yn cwyno fod Lewis wedi bod yn ei ffonio fo o hyd. Betia i di fod hynny o achos 'mod i 'di bod yn y gymdeithas adeiladu,' ceisiodd Ffiffi ei hamddiffyn ei hun.

'Dydi hynny'n profi dim byd. 'Falla fod Lewis wedi bod yn 'i ffonio fo o hyd i neud yn siŵr fod 'i ginio fo'n barod erbyn y daw o adra,' meddai Lowri.

Nodiodd Ffiffi, a'i phen yn ei phlu.

'A chymryd dy fod ti'n iawn am un eiliad fach rŵan, reit. Be os ydi Lewis Morris a'r dyn 'na siaradodd efo chdi ar y ffôn 'na rŵan *yn* rhan o'r helbul 'ma? Yr unig beth ti 'di neud rŵan ydi'u rhybuddio nhw'n bod ni'n gwybod amdanyn nhw,' meddai Lowri.

'Ro'n i'n hen het wirion, yn do'n?' meddai Ffiffi'n benisel.

'Oeddat, mi roeddat ti!' cytunodd Lowri ar unwaith. 'Ty'd, awn ni'n ôl at Anwen.'

Wrth iddyn nhw gerdded yn eu holau, dywedodd Ffiffi, 'Dwi'n dal i feddwl 'mod i'n iawn am Lewis Morris, cofia di. Fo fydda'r cynta yn y gymdeithas adeiladu i ddarllen llythyr Dad. Cyn gynted ag y bydda i'n cyrraedd adre dwi'n meddwl y basa'n well i mi ffonio Ditectif Williams.'

'Wyt ti'n siŵr mai Morris welest ti y tu allan i'r tŷ?' gofynnodd Lowri. 'Os dwi'n cofio'n iawn, roedd y dyn welest ti yn yr Escort yn gwisgo sbectol haul . . .'

'Fo *oedd* o,' atebodd Ffiffi ar unwaith. 'Mi wnes i 'i nabod o'n syth. Mae ganddo fo'r arferiad 'ma o ddrymio'i fysedd. Roedd o'n gneud hynny ar lyw y car pan weles i o'r tro cynta, ac roedd o'n drymio'i fysedd ar y bwrdd gynnau hefyd.'

''Falla mai gweld y bysedd yn drymio wnest ti, a gweld y farf, ac wedyn rhoi dau a dau efo'i gilydd a chael tri a thri chwarter,' meddai Lowri.

'Na, wnes i ddim. Fo oedd o. Dwi'n gwybod hynny. A beth bynnag, welest ti mo'r ffordd yr edrychodd o arna i. Mi wnaeth o fy nabod i'n syth!' atebodd Ffiffi'n hyf.

Bu'r ddwy yn dawel am weddill y siwrnai fer yn ôl at Anwen. Edrychodd Ffiffi ar yr awyr las uwchben, gan gysgodi'i llygaid rhag yr haul llachar. Roedd hi'n mynd i fod yn ddiwrnod tanbaid o boeth. Tybed oedd ei thad yn rhywle ble gallai o weld yr haul . . .? Teimlo'i wres . . .?

Cyrhaeddodd y ddwy y rhesaid o geir gyferbyn â'r gymdeithas adeiladu lle'r oedden nhw wedi gadael Anwen.

Doedd hi ddim yno.

'Anwen . . . ' galwodd Lowri'n nerfus.

Edrychodd Ffiffi o'i chwmpas yn gyflym, gan obeithio y byddai'n gweld Anwen yn y pellter yn rhywle. Doedd dim golwg ohoni.

'Arhosa'n fan'na,' gorchmynnodd Lowri.

Cyn i Ffiffi gael cyfle i ddadlau, croesodd Lowri'r ffordd ac aeth i mewn i'r gymdeithas adeiladu. Neidiodd calon Ffiffi i'w cheg wrth iddi wylio Lowri'n ceisio gwthio'r drysau ar agor. Daeth dynes dal, denau gyda gwallt tywyll i'r golwg yn syth bron, a dweud rhywbeth wrth Lowri drwy'r drysau gwydr. Yna siaradodd Lowri hefyd. Gan lyfu'i gwefusau, edrychodd Ffiffi i fyny ac i lawr y stryd fawr, gan feddwl tybed a ddylai hi groesi'r ffordd i fynd at Lowri. Wrth i Ffiffi wylio, agorodd y ddynes y drws i siarad efo Lowri.

Pan oedd Ffiffi ar fin croesi'r ffordd i ymuno â Lowri – roedd hi bron â thorri'i bol gan chwilfrydedd – gwelodd Lowri'n gwenu ac yn diolch i'r ddynes cyn croesi'r ffordd yn ôl at Ffiffi.

'Be ddigwyddodd? Be ddeudest ti wrthi? Be ddeudodd hi wrthat ti?' Roedd Ffiffi'n gwestiynau i gyd.

'Mi gaeon nhw dros bum munud yn ôl ac mi roedd Morris allan o'r drws rhyw ddwy eiliad yn ddiweddarach,' eglurodd Lowri. 'Mi ddeudes i 'i fod o i fod i gael cinio efo ni'n nes ymlaen a bod Mam wedi f'anfon i yma efo neges iddo fo.'

'Felly mae'n rhaid fod Anwen wedi'i ddilyn o,' meddai Ffiffi'n nerfus. 'Gobeithio'i bod hi'n iawn.'

'Dwi'n iawn.' Neidiodd Ffiffi a Lowri wrth glywed llais Anwen y tu ôl iddyn nhw.

'Anwen! Ble'r oeddat ti? Roeddan ni'n dechra poeni amdanat ti!'

'Mi ddilynis i pwy-ti'n-galw i'r maes parcio rownd y gornel,' meddai Anwen. 'Mi aeth o i mewn i'w gar – *ei gar Ford Escort glas* – a gyrru i ffwrdd, felly fedrwn i mo'i ddilyn o.'

'Ro'n i'n *gwybod* mai fo oedd o. Ro'n i'n gwybod!' meddai Ffiffi gan neidio i fyny ac i lawr. 'Roedd o *wedi* parcio y tu allan i'n tŷ ni ddoe. Welodd o mohonot ti, naddo, Anwen?'

'Naddo siŵr iawn!' meddai Anwen. 'Dwi 'di darllen llyfr dy dad o glawr i glawr, yn do?!'

'Dwi'n hollol siŵr rŵan fod ganddo rywbeth i'w neud efo herwgipiad Dad – does 'na ddim dwywaith amdani,' meddai Ffiffi, a'i llygaid yn culhau.

'Reit, digon teg, ond be rydan ni'n mynd i neud nesa?' gofynnodd Lowri, gan fyrstio swigen Ffiffi gyda chwistrelliad o ymarferoldeb.

Cnôdd Ffiffi ei gwefus isaf am funud. ''Dan ni am alw yn nhŷ Lewis Morris. 'Dan ni'n mynd i weld a ydi Dad yno.'

''Dach chi 'di cael ei gyfeiriad o? Mwy o ysbïo! Iâ-hŵ!' chwifiodd Anwen ei breichiau uwch ei phen.

''Falla bod rŵan yn amser da i ni ffonio Ditectif Williams,' awgrymodd Lowri.

'Pam? Does gynnon ni ddim mwy o wybodaeth na thystiolaeth nag oedd gynnon ni ddoe,' dadleuodd Ffiffi. 'Dwi'n meddwl y dylsen ni'i ffonio fo ar ôl i ni fod yn nhŷ Morris. Os llwyddwn ni i gael mwy o gliwia yno, mi ffoniwn ni o wedyn yn ddi-ffael.'

'Gobeithio, pan fyddwn ni isio mynd at yr heddlu, na fyddwn ni 'di'i gadael hi'n rhy hwyr,' mwmiodd Lowri.

Edrychodd Ffiffi arni ond ni ddywedodd yr un gair.

Aethon nhw yn eu blaenau tuag at yr arhosfan bws.

Tybed ydi Anwen a Lowri'n teimlo mor nerfus ag yr ydw i? meddyliodd Ffiffi. Beth wnâi hi pe bai ei thad yn nhŷ Morris? Beth fyddai'n digwydd wedyn? Sut fydden nhw'n ei achub o?

* * *

Roedd Derwen Deg yn sicr wedi'i guddio'n dda. Filltiroedd allan o'r dref, roedd yn rhaid troi i fyny ar hyd ffordd gul, a chan nad oedd arwydd arni, fe fyddai'n hawdd iawn i beidio â'i gweld. Roedd y mieri a'r coediach oedd yn tyfu ar ei hyd yn cyrraedd yn uwch na chanol Ffiffi. Diolch byth am gyfarwyddiadau'r gyrrwr bws, neu mi fyddai Ffiffi a'i ffrindiau wedi methu'r troad yn gyfan gwbl. Roedd y dail a blethai drwy'r coed uwch eu pennau fel clogyn yn lladd pelydrau'r haul, ac yn tawelu'r synau o'u cwmpas. Gallent glywed aderyn neu ddau'n trydar a synau suo pryfetach yn y pellter, ond roedd hyd yn oed y synau hynny'n dawel iawn.

''Dach chi'n meddwl fod Lewis 'di dod yn ôl i fan'ma?' sibrydodd Anwen.

Cododd Lowri'i hysgwyddau wrth i Ffiffi sibrwd: 'Sh . . . sh!'

Cerddodd y tair yn eu blaenau. Roedd y llawr o dan eu traed wedi'i bobi'n galed gan yr haul, gan wneud y daith yn un flinedig iawn. Archwiliodd

Ffiffi'r llwybr am olion teiars neu unrhyw gliw tebyg, ond doedd dim i'w weld ar y ddaear oedd yn galed fel haearn Sbaen.

'Cadwch eich clustia a'ch llygaid ar agor i sylwi ar unrhyw gliwia, cofiwch,' sibrydodd Ffiffi.

'Sh . . . sh!' meddai Anwen. 'Be 'di'r sŵn 'na?'

Safodd pawb yn hollol llonydd a gwrando.

'Sŵn car ydi o. Mae 'na gar yn dod!' meddai Ffiffi.

'Ty'd yn d'ôl!' gorchmynnodd Lowri. ''Falla mai Lewis ydi o.'

Ar ochrau'r llwybr tyfai mieri a choediach a danadl poethion, a thyfai coed yn drwchus y tu ôl i'r rheini. Safodd pawb yn eu hunfan, a'r un ohonyn nhw'n rhy awyddus i sgrialu trwy'r tyfiant trwchus. Roedd sŵn y car yn dod yn nes.

'Ffiffi, Lowri . . .' meddai Anwen yn daer. 'Be 'dan ni'n mynd i neud?'

'Does gynnon ni ddim dewis,' meddai Ffiffi. 'Dewch!'

Ymbalfalodd pawb trwy'r mieri a'r anialwch cyn mynd ar eu cwrcwd, o'r golwg.

'Alla i ddim credu 'mod i'n gneud hyn,' mwmiodd Lowri. 'Mae'n gas gen i feddwl ar be dwi'n sefyll.'

'Sh . . . sh!' rhythodd y ddwy arall yn gas arni.

Daeth y car yn nes ac yn nes. O'r troad ychydig o'u blaenau daeth y Ford Escort glas i'r golwg yn annisgwyl o sydyn, gan yrru'n syth tuag atynt. Yno, yn sedd y gyrrwr, roedd Lewis Morris. Ond nid Lewis oedd yr unig un yn y car.

Neidiodd Ffiffi i fyny. 'Dad . . . DAD!' sgrechiodd wrth i'r car yrru heibio iddynt.

'Be?' gofynnodd Anwen.

'Mae Dad yn y car 'na!' sgrechiodd Ffiffi, gan godi a dechrau rhedeg ar ôl y car, a hwnnw'n dal i yrru fel mellten o'u blaenau. Roedd dau ddyn yn eistedd yn y cefn a'i thad oedd un ohonynt. Trodd ei thad ei ben, a golwg wyllt arno wrth iddo weiddi rhywbeth na fedrai Ffiffi ei glywed. Dad! Roedd ei thad yn y car! Mor agos . . .

Yn sydyn, sgrechiodd y car wrth iddo sefyll yn stond. Rhewodd Ffiffi.

'Ffiffi . . . Ffiffi, ty'd yn d'ôl!' Rhedodd Lowri yn ei blaen gan afael ym mraich Ffiffi.

Agorodd un o ddrysau'r car. Daeth Lewis Morris allan ohono.

'Dewch yn ôl, chi'ch dwy!' gwaeddodd Anwen. 'Maen nhw ar ein hola ni!'

Oedodd Ffiffi am eiliad yn unig. Yna rhedodd nerth ei choesau at Anwen a phlymiodd y tair ohonynt i ganol y coediach i guddio, gan sgrialu mor bell â phosib oddi wrth Lewis.

'Dewch yn ôl yma!'

Gallent glywed llais gwallgo Lewis yn galw ar eu holau. Gwnaeth sŵn ei lais iddynt sgrialu'n gyflymach ac ymhellach i ffwrdd oddi wrtho. Pwyntiodd Ffiffi i'r dde a gwyrodd pawb i'r cyfeiriad hwnnw, gyda mieri a gwreiddiau'n tynnu yn eu dillad ac yn crafu eu hwynebau.

'Arhoswch yn llonydd, bawb!' hisiodd Ffiffi.

Rhewodd pawb. Roedd sŵn traed Lewis yn crensian trwy'r dail a'r brigau yn gwneud i stumog Ffiffi gorddi gan ofn.

'FFIFFI, MAEN NHW AR D'ÔL DI! PAID Â GADAEL IDDYN NHW DY DDAL DI. PAID Â THRYSTIO . . .' mygwyd geiriau tad Ffiffi'n sydyn.

Cododd Ffiffi'i phen. 'Dad . . .' gwaeddodd. Roedd hi eisiau gweiddi arno, eisiau rhedeg ato – roedd y teimlad mor gryf fel y gallai hi estyn allan a'i gyffwrdd o bron iawn. Ond allai hi ddim.

Allai hi ddim.

Syllodd Ffiffi'n galed trwy'r mieri a'r coediach, fel tase hynny'r unig beth oedd yn rhaid iddi'i wneud i beri iddynt ddiflannu o'i ffordd er mwyn iddi allu gweld ei thad. Deuai'r sŵn traed yn nes. Plygodd y tair ohonynt eu pennau. Rhoddodd Anwen ei dwylo dros ei chlustiau. Efallai fod Lewis Morris yn closio tuag atynt, ond nid oedd raid iddi wrando arno'n nesáu!

Cam neu ddau arall ac mi fydd o'n baglu droson ni, meddyliodd Ffiffi'n llawn dychryn.

'Lewis, ty'd yn d'ôl i fan'ma!' gwaeddodd llais

lloerig ei gydymaith arno. 'Paid â bod yn hen ffŵl gwirion!'

'Mae'r merched 'na o gwmpas yn rhywle,' gwaeddodd Lewis yn ei ôl.

Daliodd Ffiffi'i gwynt. Roedd Lewis mor agos ati fel y gallai gyffwrdd ei droed.

'Gad iddyn nhw! 'Dan ni mo'u hangen nhw,' gwaeddodd y cyd-droseddwr yn ddiamynedd.

''Dan ni 'i hangen *hi*. Mi all hi berswadio'i thad i roi be 'dan ni 'i angen – wedyn mi gawn ni ddianc,' gwaeddodd Lewis. 'Mi ddylen ni fod wedi cael gafael arni yn y dechra pan ddeudis i. Dwi 'di cael llond bol ar y ddau ohonyn nhw'n chwara o gwmpas. Mi leciwn i dagu'r hogan 'na, wir!'

Aeth anadl Ffiffi'n sownd yn ei gwddf. Syllodd ar draed Lewis, a'i llygaid a'i chorff i gyd yn llawn ofn.

Roedden nhw ar ei hôl hi rŵan hefyd . . .

'Mi gawn ni hi eto. Ty'd 'laen. Mae'n rhaid i ni fynd,' meddai'r cynorthwywr.

'Paid â phoeni, Ffion Owen – mi ga i di . . .' hisiodd Lewis wrtho'i hun.

Yn araf, ac yn anfodlon, aeth Lewis yn ôl am y car. Clywodd y merched fwmial blin o gyfeiriad y ddau herwgipiwr, ond roedden nhw'n rhy bell iddynt fedru clywed y geiriau. Ni symudodd Ffiffi, Anwen na Lowri; wnaethon nhw ddim hyd yn oed anadlu nes iddyn nhw glywed sŵn y car yn gyrru i ffwrdd. Symudodd Lowri i sefyll ar ei thraed.

'Ddim eto,' sibrydodd Ffiffi'n gyflym. ''Falla

mai tric ydi o. ’Falla fod un ohonyn nhw’n dal yma, yn aros i ni godi’n penna.’

‘Mae’n iawn i chi’ch dwy. Dwi’n gwisgo sgert,’ cwynodd Lowri.

‘Pam andros wnest ti wisgo sgert?’ hisiodd Anwen.

‘Achos ddeudodd neb wrtha i y baswn i’n cropian ar ’y mhedwar drwy gefn gwlad, dyna pam!’ sibrydodd Lowri’n swta. ‘Mae’n gas gen i fod yn fudur.’

‘O leia doedd gen ti ddim brigyn i fyny dy drwyn di drwy’r adeg, a Lewis ’mond modfedd i ffwrdd oddi wrthat ti . . .’ torrodd Anwen ar ei thraws.

‘Sh . . . sh!’ gorchmynnodd Ffiffi.

Arhoson nhw am funud neu ddau ond ni allent glywed dim ond trydar yr adar a’r pryfetach yn suo. O rywle’n bell i ffwrdd, clywid ci’n cyfarth.

‘Anwen, cropia di ffordd ’na.’ Pwyntiodd Ffiffi i’r chwith. ‘Mi gropia inna i’r dde. Wedyn mi safaf i fyny i weld ydyn nhw ’di mynd.’

‘Pam na allwn ni aros efo’n gilydd?’ protestiodd Lowri.

‘Achos os ydyn nhw’n dal yna, mi fydd yn haws iddyn nhw ein dal os arhoswn ni efo’n gilydd. Os chwalwn ni mi fydd yn anodd iawn iddyn nhw ddal y tair ohonan ni,’ sibrydodd Ffiffi. ‘Mi gaiff yr un neu’r ddwy fydd ar ôl fynd yn syth at yr heddlu a deud wrth Ditectif Williams be sy ’di digwydd.’

Yn anfodlon, cytunodd Lowri fod y cynllun yn gwneud synnwyr. Aethant ar wahân, gydag Anwen yn cropian i ffwrdd ar ei bol i un cyfeiriad, a Ffiffi'n ei hanelu hi am y ffordd arall. Arhosodd Ffiffi i ail fys ei horiawr gyfrif munud arall, ac yna cododd ei phen yn araf a sefyll, yn barod i'w heglu hi ar y cipolwg cyntaf o Lewis neu'r herwgipiwr arall. Doedd neb yno. Edrychodd Ffiffi o'i chwmpas yn ofalus.

'Anwen, Lowri, mi gewch chi sefyll rŵan. Dim ond ni sy 'ma.' Fedrai Ffiffi ddim penderfynu a oedd hi'n teimlo'n falch neu'n siomedig.

Ond o leiaf roedd ei thad yn fyw ac yn iach. Cofleidiodd Ffiffi'r wybodaeth honno fel côt aeaf. Roedd ei thad wedi siarad efo hi. Roedd o'n iawn – hyd yn hyn. Yn araf, safodd y ddwy ferch arall.

''Drychwch ar 'y mlows a'n sgert i! Maen nhw 'di difetha!' llefodd Lowri wrth edrych ar y staeniau gwyrdd a brown ar ei dillad.

'Paid â phoeni am dy ddillad,' meddai Anwen yn ddidaro. 'Mi olchith y staenia 'na i ffwrdd.'

'Dim hynna sy'n 'y mhoeni i. Poeni be ddeudith Dad a Mam pan welan nhw 'nillad i ydw i,' bytheiriodd Lowri. 'Mi aiff Mam i fyny'r wal a tharo'i phen yn y to!'

Cerddodd Anwen draw at Ffiffi gan anwybyddu Lowri. 'Dy dad oedd hwnna'n reit siŵr, Ffiffi. Mi weles i o hefyd,' dywedodd.

'Dwi 'di cael digon ar chwara bod yn sbïwr!' Brasgamodd Lowri draw at ei ffrindiau. 'Mae'n hen bryd inni ddod â'r heddlu i mewn i ddatrys hyn.'

'Dwi'n cytuno,' meddai Ffiffi. 'Rŵan ein bod ni i gyd yn gwybod bod Lewis Morris yn un o'r herwgipwyr, ddyla'r heddlu ddim cael unrhyw drafferth o hyn ymlaen.'

Pennod 10

Sarsiant Parri

'Ydach chi'n berffaith siŵr mai Lewis Morris oedd y gyrrwr?' gofynnodd Ditectif Williams dros y ffôn.

Roedd Ffiffi eisiau taro'r ffôn i lawr a dal i'w daro nes y byddai clustiau Ditectif Williams yn byrstio! Faint rhagor o weithiau oedd o'n mynd i ofyn yr un cwestiwn?

'Ydw, dwi'n hollol siŵr. Does 'na ddim dwywaith amdani – dwi'n gwybod mai fo oedd o,' meddai Ffiffi gan geisio cuddio'i diffyg amynedd. 'Mi weles i o heddiw yng nghymdeithas adeiladu Dad. Mi chwilion ni am ei gyfeiriad o ac mi aethon ni yno. Ond roeddan ni'n rhy hwyr. Roedd o'n gyrru i ffwrdd – efo Dad yn sêt gefn y car.'

Nodiodd Anwen ei chefnogaeth. 'Deuda di wrtho fo.'

'Oedd 'na rywun arall yn y car heblaw Lewis Morris a'ch tad?'

Gallai Ffiffi glywed gwg blin yn llais Ditectif Williams.

'Oedd, mi roedd 'na ddyn arall, ond ches i ddim golwg digon da ar hwnnw,' cyfaddefodd Ffiffi. 'Mi ges i gymaint o sioc o weld Dad ac ro'n i mor falch ei fod o'n iawn, fel na wnes i sylwi ar neb ar ôl hynny.'

'Mi ddeudsoch chi fod eich ffrindia, Lowri ac Anwen, efo chi?' gofynnodd y ditectif.

Nodiodd Ffiffi. 'Oeddan.'

'Welson nhw'r trydydd dyn? Fedar un ohonyn nhw ei ddisgrifio fo?'

'Arhoswch funud. Mi ofynna i iddyn nhw,' meddai Ffiffi. Trodd at Anwen a Lowri. 'Fedar un ohonach chi ddisgrifio'r dyn oedd yn eistedd wrth ymyl Dad yn y car?'

Ysgydwodd Anwen ei phen. 'Ro'n i'n rhy brysur yn edrych ar dy dad ac yn trio cofio rhif y car.'

Ysgydwodd Lowri ei phen hefyd. 'Ro'n i'n gneud yr un fath ag Anwen. Dim ond ar dy dad y sylwes inna hefyd. Sori. Mi wnes i sylwi fod y trydydd dyn yn gwisgo sbectol haul, ond dyna'r cwbwl, mae gen i ofn.'

Adroddodd Ffiffi'r hyn a ddywedwyd wrthi wrth Ditectif Williams.

'Ydi Anwen yn dal i gofio rhif y car?' gofynnodd y ditectif.

Trosglwyddodd Ffiffi'r ffôn i Anwen. 'Mae o isio gwybod wyt ti'n dal i gofio rhif y car,' sibrydodd.

Gafaelodd Anwen yn y ffôn. 'Helô? Ditectif Williams? Ym . . . be oedd o rŵan, 'dwch. Ym . . . E391 RP rywbeth. Alla i ddim cofio'r llythyren ola, ond dwi'n siŵr fod y gweddill yn gywir. Ie . . . Diolch . . . Ydi, mae hi'n fan'ma.' Trosglwyddodd Anwen y ffôn yn ôl i Ffiffi.

'Ditectif Williams, 'dach chi'n gwybod enw'r herwgipiwr. Does bosib nad ydi rhif y car mor hanfodol â hynny?' dywedodd Ffiffi ar unwaith.

'Mae'r cyfan yn help,' atebodd Ditectif Williams. 'Oes 'na rywbeth arall ydach chi isio ddeud wrtha i, Ffion?'

'Nagoes, dwi'm yn meddwl,' meddai Ffiffi'n araf. 'Dwi 'di rhoi cyfeiriad Lewis Morris i chi, ond faswn i ddim yn meddwl yr aiff o'n ôl yno. Mae Anwen wedi rhoi rhif y car i chi, ac mi welodd y tair ohonan ni Dad. Dwi 'di deud wrthach chi be ddigwyddodd.'

'Ydach chi gartre rŵan?' gofynnodd Ditectif Williams.

'Ydw,' atebodd Ffiffi. 'Mi neidion ni ar y bws cynta aeth heibio a dod yn syth adre. Doeddan ni ddim am fentro dod ar draws yr herwgipwyr 'na unwaith eto, rhag ofn iddyn nhw benderfynu gorffen yr hyn ddechreuon nhw.'

'Da iawn. Doeth iawn. Rŵan, gwrandewch yn ofalus, Ffion. Dwi'n mynd i fod yn brysur yn cydgordio gosod rhwystrau ffordd ar hyd a lled y wlad, ac mi fydda i'n trefnu bod rhywun yn archwilio garejys ac yn chwilio ym mhob maes parcio lle bydd Lewis Morris yn debygol o geisio cuddio'i gar,' meddai Ditectif Williams. 'Dwi am i chi aros adre nes y clywch chi gen i. Mi fydda i draw naill ai yn nes ymlaen heno 'ma neu'r peth cynta bore fory i ddeud sut mae'r ymholiada'n gyrru 'mlaen. Ydach chi'n deall?'

'Ydw,' gwgodd Ffiffi ar y ffôn. 'Ond does 'na ddim byd fedra i neud . . .?'

'Y peth gora fedrwch chi neud ydi aros adre,' torrodd Ditectif Williams ar ei thraws. 'Ydi'ch nain yna rŵan?'

'Nac'di, mae hi 'di mynd i siopa. Ond mi ddyla hi fod adre mewn 'chydig, ac mae'n ffrindia i yma hefyd,' atebodd Ffiffi.

'Beth am bore fory? Fydd eich nain a'ch ffrindia chi o gwmpas bryd hynny?'

'Wel, mae Nain wastad yn mynd i'r capel ar fore dydd Sul,' meddai Ffiffi. 'A dydw i ddim yn meddwl y bydd Anwen a Lowri o gwmpas fory. Ddim tan y pnawn beth bynnag.'

'Da iawn. Da iawn,' meddai Ditectif Williams yn frysiog. 'Mae gen i lawer o betha i'w trefnu heddiw, felly mae'n siŵr y bydd hi'n fory cyn y galla i alw i ddeud sut rydan ni'n gyrru 'mlaen. Mi wnaethoch chi'n dda iawn i nabod un o'r herwgipwyr 'na, ond rŵan mae'n amser i chi adael y cyfan i'r arbenigwyr.'

'Os 'dach chi'n deud,' sniffiodd Ffiffi.

Doedd yr arbenigwyr ddim wedi gwneud llawer hyd yn hyn!

'Dwi'n mynnu,' meddai Ditectif Williams yn llym. 'Mi welwn ni chi fory. Ac yn y cyfamser, mae'n bwysig iawn eich bod chi'n chwilio am wybodaeth am osgiliadur anwytho eich tad.'

'Iawn. Mi chwilia i heno 'ma,' meddai Ffiffi.

Tybed pam roedd Ditectif Williams yn dal i holi am yr osgiliadur anwytho? Doedd bosib nad oedd dod o hyd i'w thad yn bwysicach na gwybod sut roedd hwnnw'n gweithio?

Rhoddodd y ditectif y ffôn i lawr.

'Be ddeudodd o, felly?' gofynnodd Anwen yn eiddgar. 'Ydi o'n mynd i anfon rhywun draw i gael datganiad gan y tair ohonan ni?'

'Nac'di.' Ysgydwodd Ffiffi'i phen. 'Mi ddeudodd y basa fo'n dod draw bore fory i ddeud sut maen nhw'n gyrru 'mlaen.'

'Dim datganiada!' meddai Anwen, wedi'i siomi'n lân.

'Doedd o ddim yn poeni fod Lewis 'di deud ei fod o am dy ddefnyddio di er mwyn perswadio dy dad i roi'r wybodaeth iddyn nhw?' gofynnodd Lowri'n llawn syndod.

'Doedd o ddim yn swnio felly. Mi ddeudes i wrtho fo ei bod hi'n amlwg nad oedd Dad 'di deud wrth yr herwgipwyr sut mae'i ddyfais o'n gweithio eto, felly eu bod nhw am fy nefnyddio i i orfodi Dad i ddeud. Mi ddeudes i hynny i gyd wrtho fo.' Cododd Ffiffi'i hysgwyddau. Gobeithiai nad oedd yn edrych yn rhy bryderus. Nid oedd eisiau dychryn ei ffrindiau. Roedd ganddi ddigon o ofn dros bawb ohonyn nhw. A fyddai Lewis a'r herwgipiwr arall yn dod ar ei hôl hi o ddifrif? Beth fydden nhw'n ei wneud? Hyrddio eu ffordd i mewn i'r tŷ? Aros nes yr âi hi i'r ysgol ddydd Llun? Beth? Teimlai Ffiffi'n sâl.

'Felly, be ddeudodd o?' gofynnodd Lowri.

'Dim byd llawer. Mi ddeudodd y basa fo'n galw draw fory,' atebodd Ffiffi.

'Dydi o ddim yn mynd i anfon rhywun draw i d'amddiffyn di?' gofynnodd Anwen yn anghrediniol.

'Mi edrycha i ar f'ôl fy hun,' meddai Ffiffi'n gadarn.

'Gwaith yr heddlu ydi d'amddiffyn di,' dywedodd Lowri yn ddirmygus, 'nid dy waith di.'

'Alla i ddim mynd draw i orsaf yr heddlu a llusgo Ditectif Williams yn ôl 'ma gerfydd 'i wallt, alla i?' meddai Ffiffi'n flin.

Roedd popeth wedi mynd o chwith heddiw, ac roedd bod mor agos at ei thad – clywed ei lais, hyd yn oed – dim ond i'w golli unwaith yn rhagor, yn siom a dweud y lleiaf.

Daeth sŵn allwedd yn troi yn y drws, ac yna agorwyd y drws ffrynt. Stryffagliodd Nain dros y rhiniog gan gario dau fag trwm o nwyddau.

'Nain! Gadewch i mi'ch helpu chi efo rheina,' meddai Ffiffi ar unwaith, gan neidio yn ei blaen i gymryd y bagiau.

'Nefi blŵ! Lle 'dach chi'ch tair 'di bod?' gofynnodd ei nain. 'Mae golwg fel tasech chi 'di bod yn rhowlio 'nôl a 'mlaen mewn mwd a phaent gwyrdd arnoch chi.'

'Dydach chi ddim ymhell ohoni,' chwarddodd Anwen.

'Alla i mo'ch anfon chi adre'n edrych fel 'na,' meddai Nain yn llawn cywilydd.

Sibrydodd Lowri yng nghlust Anwen. Nodiodd Anwen. Aeth y ddwy yn nes at Nain, yn wên o glust i glust.

'Dyna'n union be roeddan ni isio'i drafod efo chi, Mrs Owen,' meddai Anwen. 'Mae Ffiffi 'di gofyn i ni aros yma heno 'ma, ond roeddan ni isio gofyn eich caniatâd chi'n gynta. Os nad ydach chi'n malio i ni aros, roeddan ni'n gobeithio y basech chi'n ffonio'n rhieni ni i ddeud bod hynny'n iawn efo chi.'

Edrychodd Ffiffi'n syn ar Anwen. O ble'r oedd hi wedi cael gafael ar y stori yna mor sydyn?

Gwenodd Nain. 'Mi faswn i'n hapus iawn i ffonio'ch rhieni chi. Ffion, cadwa di'r neges 'ma tra dwi'n delio efo hyn.'

Cariodd Ffiffi'r neges i'r gegin, gan adael Nain i ffonio rhieni Lowri'n gyntaf, ac yna rhai Anwen. Chwarter awr yn ddiweddarach, pan oedd Ffiffi newydd roi'r eitem olaf yn ei le – paced o facaroni coginio'n-sydyn – ymddangosodd Lowri, Anwen a'i nain yn y gegin.

'Dyna hynna wedi'i sortio,' gwenodd Nain. 'Rŵan 'ta, chi'ch tair. Tynnwch y dillad budron 'na i ffwrdd ac mi luchia i nhw i mewn i'r peiriant golchi. Ffion, dos i fyny'r grisia efo dy ffrindia a rho 'chydig o dy ddillad glân di iddyn nhw.'

'A dyna lle'r o'n i'n mynd i roi dillad budron iddyn nhw,' mwmiodd Ffiffi.

'Mi glywes i hynna, madam!' meddai Nain.

Rhedodd y merched i fyny'r grisiau i lofft Ffiffi dan chwerthin. Caeodd Ffiffi'r drws yn ofalus ar ei hôl cyn troi at y ddwy arall.

'Rŵan 'ta, mi gewch chi'ch dwy egluro be'n union oedd hynna i gyd i lawr y grisia,' gorchmynnodd Ffiffi. 'Pam y ras wyllt i aros 'ma heno?'

'Achos dwi'n meddwl fod herwgipwyr dy dad yn mynd i ddod ar d'ôl ditha hefyd, hyd yn oed os nad ydi Ditectif Williams yn cytuno,' atebodd Lowri. 'A does 'na ddim peryg y byddwn ni'n d'adael di ar ben dy hun heno 'ma – rhag ofn iddyn nhw dy *ddal* di.'

'Dim ffiars o beryg!' gwenodd Anwen. Yna ciliodd ei gwên. 'Ond be allwn ni neud?'

'Digonedd,' meddai Lowri. 'Mi osodwn ni fagla a laryma ar hyd y tŷ, rhag ofn bod y cnafon 'na'n bwriadu gneud rhywbeth gwirion.'

'Sut fath o fagla?' gofynnodd Ffiffi'n amheus. 'Dwi ddim isio gosod unrhyw beth fydda'n debygol o frifo Nain. A ph'run bynnag, sut allwn ni osod laryma na fydd Nain yn dod ar eu traws nhw?'

'Paid â phoeni. Mae gen i gynllun,' gwenodd Lowri.

Yn ffodus i Ffiffi a'i ffrindiau, doedd dim ar y teledu y dymunai Nain ei wylio, felly penderfynodd fynd i'w gwely'n gynnar, gan adael y tŷ'n rhydd a chlir i Ffiffi, Lowri ac Anwen.

Gan ddilyn cyfarwyddiadau Ffiffi, fe ysbeilion nhw'r gegin, y cwpwrdd sychu dillad a'r cwpwrdd yn y lolfa lle cadwai ei thad ei holl bapur ysgrifennu. Fe gymerodd hi hanner awr i baratoi llofft Ffiffi, ond o'r diwedd roedd yn barod.

Roedd pentwr o gambrenni hongian dillad yn crogi ar ddwrn y drws ac ar du ôl y drws ar y bachyn dal cotiau, a'r cyfan yn barod i glepian yn syth pe bai rhywun hyd yn oed yn *edrych* ar ddrws llofft Ffiffi, bron iawn. Gosodwyd caniau bwyd o bob math yn union o dan sil ffenest y llofft. Roedd y llenni wedi'u cau er mwyn cuddio'r pinnau bawd a oedd wedi'u gosod yn strim-stram-strellach ar hyd sil y ffenest. Roedd padelli ffrio wedi'u gosod o dan y ddau obennydd ar wely Ffiffi, a bat rownderi wedi'i guddio tu ôl i ben y gwely. Yr unig beth nad oedd Ffiffi'n hollol hapus ag o oedd yr holl greision ŷd oedd wedi'u gwasgaru ar y llawr o gwmpas ei gwely.

'Dyna'n larwm ni os llwyddith yr herwgipwyr i fynd heibio i bob un o'n magla eraill ni,' meddai Lowri. 'Mi fyddan nhw'n sgrynsian y creision ŷd o dan eu traed ac mi ddeffrith y sŵn ni.'

'Ond mi ddaw 'na hen forgrug a llygod i mewn . . .' protestiodd Ffiffi.

'Be fasa'n well gen ti, llygod a morgrug, neu herwgipwyr?' gofynnodd Lowri. Dim ond o drwch blewyn yr enillodd y llygod a'r morgrug!

'Mi gaiff Nain ffit biws os gwelith hi'r holl greision ŷd 'ma ar hyd y carped,' mwmiodd Ffiffi.

'Mi hwfrwn ni nhw i gyd cyn iddi 'u gweld nhw,' addawodd Lowri.

'Hmmm!' meddai Ffiffi, heb ei llwyr ddarbwyllo.

O'r diwedd aethant i gyd i'w gwelyau. Mi daflodd Anwen a Lowri geiniog i benderfynu pwy fyddai'n rhannu'r gwely dwbwl efo Ffiffi a phwy fyddai'n cysgu ar y gwely gwynt. Anwen gafodd y gwely gwynt, er mawr ryddhad i Lowri.

Fe ddechreuon nhw wylio'r ffilm hwyr ar deledu Ffiffi yn ei llofft, ond ffilm arswyd oedd hi a chytunodd pawb nad oedd hi'n syniad da i wylio rhywbeth felly ar noson fel hon. Bu'n rhaid i Ffiffi neidio drwy'r awyr i ddiffodd swits y teledu, a neidio'n uchel eto yn ei hôl i'w gwely er mwyn osgoi'r creision ŷd. Estynnodd i fyny dros ei phen i ddiffodd y golau. Gorweddodd pawb ar eu cefnau, yn gwrando ar y tawelwch tywyll yn y tŷ.

'Chysga i'r un winc,' sibrydodd Ffiffi. Byseddodd y bat rownderi. Roedd o'n teimlo'n llyfn ac yn gadarn o dan ei bysedd ac roedd hynny'n codi'i chalon yn arw.

'Na finna chwaith,' ochneidiodd Lowri.

'Na finna,' cytunodd Anwen.

Ddeng munud yn ddiweddarach, roedd y tair yn cysgu'n drwm.

'Ffion Teleri Owen! Be goblyn wyt ti 'di bod yn neud?'

Eisteddodd Ffiffi i fyny, gan rwbio'i llygaid. 'Ydi hi'n fore'n barod?' gofynnodd mewn syndod.

'Ydi, mae'n fore. Ac mi gei di lanhau'r llofft 'ma – ac mae hynny'n golygu pob un cornfflecen wedi'i chodi oddi ar y carped 'ma – cyn i ti ddod i lawr i gael brecwast,' bytheiriodd ei nain.

Blinciodd Ffiffi. 'Iawn, Nain.'

Eisteddodd Anwen i fyny'n araf. Cwynodd Lowri gan droi drosodd a thynnu'r gorchudd dros ei phen.

'O wel, dyna ddiwedd ar y magla a'r laryma 'ta,' meddai Ffiffi'n ddirmygus. Roedd hi *bron iawn* yn siomedig.

Awr yn ddiweddarach, roedd y tuniau, y pinnau bawd a'r cambrenni i gyd wedi'u cadw. Roedd pob creisionen ŷd wedi'i hwfro'n ddyfal nes bod y carped yn edrych fel newydd.

'Dwi'n dal i ddisgwyl am eglurhad am gyflwr dy lofft di bore 'ma,' meddai Nain wrth sythu ei het o flaen y drych yn y cyntedd.

'Dim ond arbrawf bach oedd o, Nain,' meddai Ffiffi wrthi am y canfed tro.

'Arbrawf? ARBRAWF! Mae'n rhaid i chdi a dy dad – Duw a'i waredo – ddysgu gneud eich arbrofion allan yn y gweithdy 'na'n yr ardd a'u cadw nhw allan o'r tŷ 'ma,' meddai Nain. 'Er, cofia di, dwi ddim yn synnu fod dy dad yn gweithio yn y tŷ 'ma weithia, a chysidro'r olwg sydd ar y gweithdy 'na! Roedd y drws bron iawn â disgyn oddi ar 'i golfacha! Argol fawr, am lanast! Mi fu raid i mi ddefnyddio offer dy dad i'w drwsio fo'r bore 'ma. Wnaeth y Ditectif Williams bach neis 'na ddim cysylltu ddoe efo rhyw newyddion am dy dad tra o'n i allan yn siopa, naddo?'

'Naddo, Nain. Mi faswn i 'di deud wrthach chi tasa fo,' atebodd Ffiffi.

'Dydw i ddim yn rhy siŵr o hynny, Ffion.' Trodd Nain i chwifio bys i gyfeiriad Ffiffi. 'Dwi'n gwybod nad wyt ti isio i mi ypsetio, felly faswn i ddim yn synnu taset ti'n cadw unrhyw newyddion drwg i ti dy hun.'

'Wel, tydw i ddim.'

'Wel, gwna'n siŵr na fyddi di ddim chwaith,' sniffiodd Nain. 'Tydw i ddim 'di 'ngneud o wydr, sti.'

'Iawn, Nain,' meddai Ffiffi.

'Dim ond gobeithio fod dy dad yn ddiogel,' mwmiodd Nain. 'Heblaw fod gen i lond fy nwylo'n edrych ar ôl y tair ohonoch chi, dwn i'm be faswn i'n neud, wir . . . Yr holl boeni 'ma.'

Roedd Ffiffi wedi'i synnu, yna cysidrodd *pam* ei bod hi wedi'i synnu. Roedd hi'n debycach i'w nain nag y tybiodd. Roedd yn rhaid i'r ddwy ohonyn nhw *wneud* rhywbeth er mwyn rhwystro'u hunain rhag poeni cymaint. Ffordd ei nain o ymdopi oedd cadw'n brysur efo'i siopa a'i glanhau a'i choginio a'i thrwsio drysau!

'Dwi'n mynd i'r capel rŵan,' meddai ei nain gan sythu. 'Dwi am i chi'ch tair fihafio'ch hunain. Dim rhagor o drio plannu cornfflêcs yn y carped!'

Gwenodd Anwen a Lowri.

'Iawn, Nain,' meddai Ffiffi.

Edrychodd Nain arni'i hun yn y drych unwaith eto a sythu'i siaced cyn mynd drwy'r drws.

'Swnian! Swnian! Swnian!' mwmiodd Ffiffi o dan ei gwynt.

'Mi glywes i hynna, Ffion!' meddai Nain.

Sbeciodd o'r tu ôl i'r drws. 'Os 'dach chi'ch tair yn chwilio am rywbeth defnyddiol i neud heddiw, mi gewch chi dorri'r gwair a rhoi dŵr i'r bloda yn y ddwy ardd o boptu'r tŷ. Mi ddechreuais i ar y gwaith bore 'ma, ond ches i ddim cyfle i'w orffen o. Mae'r giât ochr ar agor, felly peidiwch ag anghofio'i chloi hi ar ôl i chi orffen. Dwi'm isio rhyw hen gŵn diarth yn bawa ar hyd y llwybr!' A chyda hynny o orchmynion, fe gaeodd Nain y drws yn gadarn o'i hôl.

'Hen ddynes iawn ydi dy nain,' gwenodd Anwen. 'Dwi'n hoff iawn ohoni!'

'A finna hefyd,' cytunodd Lowri. 'Mae'n siarad yn blwmp ac yn blaen, yn tydi!'

'Fasa chi'ch dwy ddim yn ei lecio hi gymaint tasa chi wedi gorfod bwyta'i chaws macaroni hi,' atebodd Ffiffi.

Ymlwybrodd y tair i'r gegin.

'Wyt ti am inni dy helpu di efo rhywbeth?' gofynnodd Lowri.

'Mae'n siŵr y basa'n well inni ddechra chwilio am ryw nodiada neu ddarlunia ynglŷn ag osgiliadur anwytho Dad. Mae Ditectif Williams 'di bod yn swnian am rheini ers tro.'

'Lle ddechreuwn ni?' gofynnodd Anwen.

'Yng ngweithdy Dad. Ble arall?' meddai Ffiffi.

Tybiodd Ffiffi y byddai archwilio'r gweithdy yn cymryd hydoedd iddyn nhw, ond roedd Nain wedi achub y blaen arni ac wedi clirio gweithdy ei thad hefyd! Roedd blychau o'r un mathau o declynnau wedi'u cadw'n daclus un ar ben y llall yn erbyn y wal. Roedd y sgriwdreifars wedi'u gosod mewn trefn yn ôl eu maint ar y bwrdd. Roedd y manion eraill i gyd mewn un bocs mawr. Pwysai'r brws yn erbyn y wal ger y ffenest, ac roedd dyfais ddiweddaraf ei thad – y bisgedi anifeilaidd wedi'u siapio fel anifeiliaid a phryfetach o bob math – mewn bocs ar eu pennau'u hunain.

I feddwl fod y pethau bach yma wedi achosi'r fath drafferth i ni efo'n cymydog, Mr MacDonald, meddyliodd Ffiffi.

Agorodd y droriau o dan y bwrdd yn y gweithdy a dod o hyd i holl bapurau ei thad wedi'u ffeilio'n daclus yno. Nain eto! Mae'n rhaid bod y nodiadau ar yr osgiliadur anwytho yno'n rhywle. Ochneidiodd Ffiffi. Byddai edrych trwy'r holl bapurau yna'n lladdfa. Roedd y gweithdy'n dywyllach nag oedd o y diwrnod cynt. Edrychodd Ffiffi i fyny. Roedd ei nain wedi bod i fyny'r ysgol yn lluchio tarpolin dros y twll yn y to – ac wedi trwsio'r drws hefyd, fel y dywedodd eisoes. Bellach doedd hwnnw ddim yn hongian yn chwit-chwat oddi ar ei golfachau, ond yn hytrach roedd wedi'i gau'n daclus. Roedd clo clap y drws a'r goriad wedi'u gosod ar silff, y tu mewn i'r drws.

'Faswn i byth 'di nabod y lle,' chwibanodd Anwen.

'Fydd Dad ddim yn nabod y lle chwaith,' meddai

Ffiffi. 'Mae o wastad 'di bod yma i rwystro Nain rhag tacluso'r lle o'r blaen. Mae'n debyg nad oedd hi'n gallu peidio tacluso y tro yma.'

'Hei . . . Ffiffi, ydw i'n clywed cloch y drws yn canu?' gofynnodd Lowri.

'Alla i ddim clywed dim byd.' Trodd Ffiffi ei phen i wrando.

'Ia, dyna be 'di o,' meddai Lowri. 'Dyna hi'n canu eto.'

Syllodd Ffiffi arni. 'Sut fedri di glywed cloch y drws yr holl ffordd o fan'ma? Mae'n rhaid fod gen ti glustia fel rhai Labrador!'

Gwenodd Lowri. Aeth pawb yn ôl i'r tŷ. Roedd Lowri'n iawn. *Roedd* yna rywun wrth y drws. Yn wir, roedd dau berson yno.

'Helô, Ffion,' meddai Ditectif Williams. Roedd ei lygaid treiddgar fel petaen nhw'n edrych trwy Ffiffi a'i ffrindiau. 'Ym . . . dwi 'di dod â sarsiant efo fi heddiw. Sarsiant Parri 'di hwn.'

Roedd y sarsiant wedi troi ei gefn atynt wrth i Ditectif Williams siarad. Yn ystod y cyflwyniad, trodd yn araf i'w hwynebu. Daliodd Ffiffi'i gwynt yn ei gwddf am ennyd. Am eiliad fach . . . roedd Ffiffi'n siŵr ei bod hi wedi gweld Sarsiant Parri yn rhywle o'r blaen. Ond roedd hynny'n amhosib. Roedd o'n dewach dyn na Ditectif Williams, ond rhyw dew rhyfedd.

Rhyw hen dew sgwiji! meddyliodd Ffiffi.

Gwisgai Sarsiant Parri sbectol haul ac roedd ei wallt wedi'i gribo'n ôl efo saim gwallt. Doedd dim rhyfedd fod ei wyneb o'n sgleinio – mae'n siŵr ei fod o'n rhostio, gwgodd Ffiffi wrthi'i hun.

Gwisgai Sarsiant Parri siaced ledr ddu wedi'i chau'n dynn efo sip, a throwsus oedd â'r siâp mwyaf od. Os oedd y trowsus yn dilyn siâp coesau Sarsiant Parri, yna roedd ganddo'r coesau rhyfeddaf a welodd Ffiffi erioed. Ni fedrai weld ei wyneb yn dda iawn gan ei fod yn sefyll yn union o flaen yr haul a'i wyneb mewn cysgod.

'Gawn ni ddod i mewn, Ffion?' gofynnodd Ditectif Williams.

'Cewch, wrth gwrs.' Daliodd Ffiffi'r drws ar agor.

'Ro'n i'n meddwl eich bod chi'n mynd i fod ar eich pen eich hun y bore 'ma,' meddai'r ditectif yn ysgafn, gan edrych ar Lowri ac Anwen.

'Mi arhosodd fy ffrindia i yma dros nos,' eglurodd Ffiffi.

Edrychodd ar Sarsiant Parri wrth iddo gerdded i mewn i'r tŷ allan o'r haul. Yn rhyfedd iawn, roedd y croen o dan ei fochau, o gwmpas ei geg ac ar hyd ei ên, yn amlwg yn llawer goleuach na gweddill ei wyneb, oedd wedi cael lliw haul. Roedd Ffiffi mewn penbleth. Ni fedrai roi ei bys arno, ond roedd rhywbeth rhyfedd iawn ynglŷn â Sarsiant Parri. Rhywbeth nad oedd yn ei hoffi – o gwbwl.

Pennod 11

Olion Bysedd yn Cyfateb

'Oes gynnoch chi ryw newydd am Dad?' gofynnodd Ffiffi.

Gwnaeth Ditectif Williams a Sarsiant Parri eu hunain yn gyfforddus ar y soffa. Cododd Sarsiant Parri lyfr ysgol Saesneg Ffiffi o dan y clustog oedd yn hanner ei guddio, a dechrau byseddu drwy'r tudalennau.

'Does gynnon ni ddim byd pendant eto,' gwenodd Ditectif Williams. 'Fe ddaethon ni o hyd i'r car wedi'i adael yng nghanol y dre; dydi hynny ddim yn rhoi unrhyw oleuni ar y mater, ond ’dan ni’n dal i chwilio. Beth amdanoch chi?’

‘Beth amdana i?’ gofynnodd Ffiffi’n ddryslyd.

‘Ddaethoch chi o hyd i unrhyw gyfarwyddiada ar sut i weithio’r osgiliadur anwytho?’

Pam fod gwên Ditectif Williams yn atgoffa Ffiffi o slic olew? Dadsipiodd Sarsiant Parri ei siaced cyn gwthio’i sbectol haul yn uwch i fyny’i drwyn. Caeodd lyfr gwaith Saesneg Ffiffi. Dechreuodd ddrymio’i fysedd ar y clawr.

‘Dwi . . .’ Rhewodd Ffiffi.

Syllodd ar fysedd Sarsiant Parri’n drymio ar ei llyfr.

Drymio. Drymio . . .

‘Oes ’na rywbeth yn bod, Ffion?’ Crychodd Ditectif Williams ei dalcen wrth siarad.

Edrychodd Ffiffi arno. Gwasgodd ei dannedd yn dynn, yna gorfododd ei hun i wenu.

‘Nag oes, siŵr iawn.’ Siaradai’n rhy gyflym. ‘Nag oes, siŵr iawn,’ meddai eto gan ei gorfodi’i hun i siarad yn arafach y tro hwn.

‘Felly, ddaethoch chi o hyd i rywbeth?’ ychwanegodd y ditectif. ‘Unrhyw lunia neu nodiada? Unrhyw beth o gwbwl?’

‘Naddo, ddim eto. Ond mi ddo i ar eu traws nhw heddiw, dwi’n siŵr. Allwch chi ddod yn ôl heno ’ma i’w nôl nhw?’ gofynnodd Ffiffi.

‘Ond Ffiffi, beth am yr holl bapura ’na ddoist ti o hyd iddyn nhw yn y gweithdy?’

'Papura?' gofynnodd Ditectif Williams yn gyflym.

'O, dydi'r rheiny'n ddim iws o gwbwl i chi,' meddai Ffiffi'n ddifater. 'Mae Dad wastad yn cadw'i nodiada am gynllunia mawr un ai yn ei lofft neu yn yr atig. Nodiada ar y pecynna ysbïo ydi'r rheina yn y gweithdy.'

'O ia, y gweithdy. Mi faswn i'n lecio cael cip ar y lle,' meddai Ditectif Williams.

'Rydach chi 'di bod yn fan'no o'r blaen,' meddai Ffiffi.

'Naddo, dwi ddim,' atebodd y ditectif yn siarp. ''Dach chi 'di gneud camgymeriad.'

'O . . . ro'n i'n meddwl eich bod chi . . . ac mi faswn i'n gadael i chi fynd yno ond . . . mae Nain 'di rhoi clo ar y drws ac mae hi 'di mynd i'r capel efo'r goriad yn ei bag llaw,' meddai Ffiffi gan raffu celwyddau. 'Ydach chi 'di gweld pecynna ysbïo Dad? Mi fyddan nhw ar werth yn y siopa ddiwedd y mis 'ma. Fasach chi'n lecio gweld un? Mae 'mhecyn i yn y llofft. 'Rhoswch funud, mi bicia i i fyny . . .'

Ysgydwodd Ditectif Williams ei ben. 'Na, does gynnon ni ddim amser. Felly rydach chi'n meddwl y dowch chi o hyd i'r nodiada ar yr osgiliadur anwytho rywbryd heddiw 'ma?'

'Ydw, dwi'n siŵr o hynny,' meddai Ffiffi. 'Allwch chi aros yn fan'na am funud, plîs?'

Tynnodd Ffiffi Anwen a Lowri allan o'r lolfa ac

i mewn i'r gegin. 'Peidiwch â meiddio deud yr un gair wrth y ditectifs 'na. Dim un gair,' sibrydodd Ffiffi'n daer.

Rhedodd Ffiffi o gwmpas y gegin, gan estyn dau wydr allan o'r cwpwrdd. Edrychodd Anwen a Lowri ar ei gilydd yn llawn penbleth. Rhoddodd Ffiffi'r ddau wydr ar soseri ar ôl eu glanhau'n drwyadl yn gyntaf efo hances boced bapur. Yna llanwodd y gwydrau efo sudd oren ffres o'r oergell.

'Oes 'na rywbeth yn bod?' gofynnodd Ditectif Williams wrth gerdded at ddrws y gegin, a Sarsiant Parri yn ei ganlyn. Neidiodd Ffiffi.

'Na . . . ym . . . o'n i jest yn nôl diod i chi'ch dau – sudd oren.' Gwenodd Ffiffi. Doedd hi erioed wedi cael gymaint o drafferth gwenu o'r blaen!

'Dim diolch,' meddai Ditectif Williams.

'O, ond . . . dwi 'di'i dywallt o rŵan.' Daliodd Ffiffi'r diodydd gerfydd y soseri i'r ditectifs.

Cododd Ditectif Williams ei ysgwyddau ac edrych ar Sarsiant Parri cyn cymryd y gwydraid o sudd oren. Cymerodd y Sarsiant ei ddiod yntau. Llyncodd y ddau y diodydd mewn un cegaid cyn eu rhoi'n ôl ar y soseri.

'Mae'n . . . mae'n ddrwg gen i am yr oedi, ond dim ond bore heddiw ges i gyfle i ddechra chwilio'n iawn am yr hyn roeddach chi'i isio,' meddai Ffiffi. 'Ditectif Williams, ddylwn i'ch ffonio chi pan fydda i 'di dod o hyd i rywbeth? Ar yr un rhif ag o'r blaen, ia?'

‘Ia, gwnewch hynny,’ meddai’r ditectif.

‘Iawn, ond fel o’n i’n deud, dwi’n siŵr y do’ i o hyd iddyn nhw’n nes ymlaen heddiw ’ma rywbryd beth bynnag,’ gwenodd Ffiffi.

‘Iawn,’ meddai Ditectif Williams. ‘Mi awn ni rŵan, ’ta.’

‘Lowri, dangosa’r drws ffrynt iddyn nhw.’ Pwniodd Ffiffi Lowri yn ei hasennau i’w symud.

Edrychodd Lowri’n hurt ar Ffiffi, ond dilynodd y dynion allan i’r cyntedd. Gosododd Ffiffi’r gwydrau oedd ar y soseri i lawr yn ofalus, un bob ochr i’r stôf drydan.

‘Williams.’ Pwyntiodd Ffiffi at y gwydr gwag ar yr ochr chwith. ‘Parri.’ Pwyntiodd at y gwydr ar yr ochr dde.

‘Ffiffi, be andros . . .?’ dechreuodd Anwen.

‘Anwen, mi gei di’n helpu i i olchi’r gwydra ’ma,’ meddai Ffiffi, a’i llais yn uwch nag arfer.

‘O, o’r gora,’ cwynodd Anwen. ‘Ond mi faswn i’n falch tasat ti’n peidio actio mor rhyfedd ac yn deud wrtha i be sy’n mynd ymlaen.’

Daeth Lowri’n ôl i’r gegin.

‘Ydyn nhw ’di mynd?’ sibrydodd Ffiffi.

‘Do, siŵr iawn,’ meddai Lowri’n syn.

‘Wnest ti gau’r drws ar eu hola nhw?’ gofynnodd Ffiffi’n frysiog.

Nodiodd Lowri.

‘ANWEN, PAID TI Â MEIDDIO CYFFWRDD YN Y GWYDR ’NA!’ sgrechiodd Ffiffi.

Rhewodd braich Anwen, eiliad cyn i'w llaw gyffwrdd â'r gwydr gwag a ddefnyddiwyd gan un o'r ditectifs.

'Mi ddeudist ti wrtha i am dy helpu di i'w golchi nhw,' meddai Anwen yn flin.

'Deud hynna er eu lles *nhw* wnes i,' meddai Ffiffi. 'Arhoswch yma chi'ch dwy. Dwi'n mynd i nôl fy mhecyn ysbïo, a beth bynnag wnewch chi – peidiwch â chyffwrdd y gwydra 'na.'

'Be andros sy'n bod arni?' gofynnodd Anwen i Lowri wrth i Ffiffi rasio fel gwiwer i fyny'r grisiau.

'Paid â gofyn i mi.' Cododd Lowri'i hysgwyddau. 'Roedd hi'n iawn nes i'r ddau dditectif 'na gyrraedd. Cofia di, roedd 'na rywbeth rhyfedd iawn ynghylch y sarsiant 'na. Wnaeth o ddim deud llawer, naddo? A . . .'

Clywsant sŵn Ffiffi'n rhuthro i lawr y grisiau. Carlamodd i mewn i'r gegin, pecyn ysbïo mewn un llaw, a ffolder HELYNT Y TWLL YN Y WAL yn y llall.

Gwyliodd Lowri ac Anwen wrth i Ffiffi osod y ffolder ar y bwrdd cyn iddi agor y cês. Estynnodd am y blwch a ddaliai'r powdwr tywyll i gymryd olion bysedd. Tyrchodd ym mhoced ei jîns, yna tynnodd rolyn bychan o dâp gludiog allan.

'Wyt ti'n mynd i gymryd olion bysedd oddi ar y gwydra 'na?' gofynnodd Anwen gan ryfeddu.

Nodiodd Ffiffi.

'Pam goblyn wyt ti'n gneud hynny?' gofynnodd Lowri.

'Sylwest ti ar y sarsiant?' gofynnodd Ffiffi wrth frwsio'r powdwr olion bysedd o gwmpas y ddau wydr.

'Be amdano fo?' gofynnodd Lowri.

'O gwmpas ei ên o'n arbennig,' meddai Ffiffi'n awgrymog.

Brwsiodd weddill y powdwr oedd dros ben oddi ar yr olion a sythodd i fyny gan wenu. 'Set berffaith o olion bysedd ar y ddau wydr.' Gwenodd Ffiffi.

'Roedd ei groen o'n oleuach ar hanner isa'i wyneb o,' meddai Lowri'n ddifater. 'Be am hynny?'

'Lowri, dwyt ti ddim 'di darllen y rhan am guddwisgoedd yn llyfr Dad?' Gwenodd Ffiffi yn foddhaus. 'Achos os baset ti, mi fasat ti'n gwybod. Pan fydd dyn barfog yn siafio'i farf, yn enwedig yn yr haf, mi fydd y croen o dan y farf yn llawer goleuach na'r croen ar weddill 'i wyneb. Mae'r un peth yn wir am ddynion duon hefyd, gyda llaw.'

'Felly mi roedd gan Sarsiant Parri farf tan yn ddiweddar iawn. Beth am hy . . .?' distawodd llais Lowri wrth iddi sylweddoli'r hyn yr oedd newydd ei ddweud. 'Dwyt ti 'rioed yn deud . . . allith o ddim bod . . .!' syllodd Lowri arni.

'Ti'n trio deud . . . mai'r un person ydi Sarsiant Parri a Lewis Morris?' meddai Anwen mewn syndod.

'Dyna'n union be dwi'n drio'i ddeud,' atebodd Ffiffi.

'Ond fedran nhw ddim bod. Be fasa Lewis Morris yn neud efo Ditectif Williams?' ysgydwodd Anwen ei phen mewn dryswch llwyr.

'Pwy ddeudodd wrthat ti mai Ditectif Williams oedd o? Pwy ddeudodd 'i fod o'n dditectif? *Fo* wnaeth!' meddai Ffiffi â goslef flin yn ei llais, ond gwyddai Lowri mai blin efo hi'i hun yr oedd Ffiffi, yn hytrach nag yn flin efo neb arall. 'Fy mai i ydi hyn i gyd. Mae Dad wastad yn fy rhybuddio i i beidio â gadael neb i mewn i'r tŷ – y bobol nwy, y bobol trydan, unrhyw un – heb graffu'n fanwl ar eu cardia adnabod nhw'n gynta. Mi chwifiodd o 'i waled o dan 'y nhrwyn i ac mi gymres inna'n ganiataol fod popeth yn iawn. Wnes i ddim edrych yn ofalus nac yn fanwl o gwbwl.'

Wrth i Ffiffi siarad, defnyddiodd y tâp gludiog i godi'r olion bysedd i ffwrdd yn ofalus oddi ar y gwydrau a'u gosod ar ddalen lân o bapur. Rhoddodd y tâp gludiog yn ôl yn ei phoced cyn dal ymlaen i siarad.

'Ydach chi'n gwybod be dwi'n meddwl ddigwyddodd? Dwi'n meddwl fod Lewis Morris 'di siafio'i farf a gwisgo sbectol haul a haenen ychwanegol o ddillad er mwyn newid ei ymddangosiad. Wnaethoch chi sylwi pa mor sgwiji a rhyfedd oedd 'i siâp o? Betia' i chi unrhyw beth mai pading o dan 'i ddillad o oedd y cyfan. Roedd o'n trio gneud yn siŵr na fasa'r un ohonan ni'n ei nabod o – newid steil ei wallt, gneud ei hun yn dewach, siafio'i farf. Ond mi roedd o 'chydig yn rhy glyfar er ei les ei hun. Neu mi roedd o'n meddwl ein bod ni'n wirionach nag ydan ni!'

'Ond pam?' gofynnodd Anwen mewn penbleth. 'Faint callach oedd o?'

'Dwi'n meddwl eu bod nhw 'di gobeithio y baswn i yma ar fy mhen fy hun. Ddoe, mi holodd Ditectif Williams bondigrybwyll fi'n fanwl ynglŷn â phryd fasa Nain adre, ond dwi'n meddwl mai isio gwybod pryd fydda Nain *allan* oedd o go iawn. Roeddan nhw isio 'nal inna hefyd, er mwyn gorfodi Dad i ddeud wrthyn nhw sut mae'r osgiliadur anwytho'n gweithio. Ac os na fyddan nhw'n gallu 'nal i, yna mi fydda nodiada Dad ar sut i weithio'r osgiliadur yn gwneud y tro. Roedd yn rhaid i'r Lewis Morris 'na newid ei wedd neu faswn i byth 'di'i adael o i mewn. A doedd o ddim am fentro cael ei weld gan y cymdogion, rhag ofn fy mod i 'di deud wrth rywun amdano fo ac y basan nhw'n rhoi'r disgrifiad cywir ohono fo i'r heddlu.'

'Doedd dim angen i Ditectif Williams newid ei wedd achos ei fod o 'di gneud hynny ers cyn i ti'i weld o. Roeddat ti'n meddwl mai ditectif oedd o'n barod,' ebychodd Lowri. 'Felly'r ddau yna ydi'r herwgipwyr . . . Wel y diawled-dan-din! Mae'n rhaid i ni fynd at yr heddlu – y funud 'ma . . .'

'O na!' sythodd Ffiffi i fyny'n sydyn, a golwg arswydus, frawychus ar ei gwep.

'Be sy'n bod?' gofynnodd Anwen. 'Be sy?'

'Llythyr Dad – yr un efo'r neges gyfrinachol,' meddai Ffiffi'n llawn gofid. 'Mi rois i o i'r Ditectif Williams honedig 'na. Roeddan nhw'n gwybod o'r dechra beth oedd Dad wedi'i neud. O na, sut allwn i fod mor wirion? Mi rois i Dad mewn mwy o dwll nag yr oedd o ynddo'n barod.'

'Doeddat ti ddim i wybod,' meddai Anwen. 'Doedd yr un ohonan ni i wybod.'

'Ond beth am y llythyr? Sut alla i fynd at yr heddlu? Roedd y llythyr 'na'n brawf fod Dad 'di'i herwgipio,' sibrydodd Ffiffi. 'Does gen i ddim byd arall.'

'Beth am yr olion bysedd mae'r herwgipwyr 'di'u gadael ar y gwydra?' gofynnodd Lowri.

A'i gwefusau'n llinell galed, ofidus, cydiodd Ffiffi yn ei chwyddwydr a dechreuodd astudio'r olion bysedd newydd yn ofalus, a'u cymharu â'r olion bysedd yr oedd wedi'u cofnodi ar y nos Wener.

Croesodd Anwen ei bysedd mor dynn nes y dechreuon nhw frifo. Edrychodd Lowri ac Anwen dros ysgwydd Ffiffi.

'Ro'n i'n gwybod!' gwichiodd Ffiffi.

'Be sy?' gofynnodd Anwen, gan glosio i gael gweld yn well.

'Ydach chi'n cofio'r olion bysedd ges i oddi ar

ddwrn drws gweithdy Dad?' gofynnodd Ffiffi. ''Drychwch ar hwnna! Mae hwn yn union yr un fath ag ôl bys bach llaw chwith Lewis Morris, wedi'i gymryd oddi ar yr olion bysedd dwi newydd eu cael ar ei wydr o.'

'Wyt ti'n siŵr?' gofynnodd Lowri.

''Drycha drosot ti dy hun. Mae ganddo fo batrwm troelli a thri rhych,' meddai Ffiffi.

'Mae ganddo fo *be*?' gofynnodd Lowri'n geg-agored.

'Darllena lyfr Dad – fel dwi'n dal i ddeud wrthat ti! Mae'r cyfan 'di'i egluro yn hwnnw,' meddai Ffiffi. 'Rydach chi'n gwybod be mae hyn yn 'i feddwl, yn dydach? Hyd y gwn i, tydi Lewis Morris ddim 'di bod yng ngweithdy Dad erioed, ac mi fetia i y basa fo'n gwadu 'i fod o erioed wedi bod yn y tŷ 'ma chwaith. Pa reswm fasa ganddo i fod yma? Tydi Dad ddim yn 'i nabod o. Yr unig gysylltiad sy rhyngon nhw ydi cymdeithas adeiladu Dad. Felly pam fod 'i olion bysedd o ar ddwrn drws gweithdy Dad 'ta? Roedd Lewis yma, fel Sarsiant Parri ac fel Lewis Morris. Mi wnaiff yr olion bysedd yma brofi mai'r un person ydyn nhw.'

'Beth am yr un sy'n galw'i hun yn Ditectif Williams 'ta?' gofynnodd Lowri. 'Pwy 'di o, 'ta?'

'Helpar yr hen sinach Lewis Morris 'na. Tydi o ddim yn dditectif mwy nag yr ydw inna,' meddai Anwen yn llawn dirmyg.

'Mi rydach chi genod yn rhy glyfar er eich lles eich hunain. Mi gymerwn ni'r ffolder 'na! A'r olion bysedd hefyd.' Hyrddiodd y llais fel chwip o'r tu ôl iddynt.

Trodd Ffiffi'i phen yn llawn dychryn. Daliodd Anwen ei hanadl. Ni fedrai Lowri anadlu. Yno, yn sefyll wrth ffenest agored y gegin ac yn gwrando ar bob gair, roedd 'Ditectif' Iwan Williams – un o'r herwgipwyr!

Pennod 12

Y Bisgedi Anifeilaidd yn Achub y Dydd!

'Rhedwch!' gwaeddodd Ffiffi.

Doedd dim angen dweud ddwywaith wrth Anwen a Lowri! Bachodd Ffiffi'i ffolder HELYNT Y TWLL YN Y WAL oddi ar fwrdd y gegin, a'r darn o bapur efo'r holl olion bysedd arno, a'i heglu hi ar ôl ei ffrindiau.

'ARHOSWCH! ARHOSWCH YN FAN'NA!' gwaeddodd Iwan Williams ar eu holau.

Clywodd Ffiffi o'n ysgwyd drws y gegin, yna'n rhegi. Gweddïodd yn dawel. Diolch byth fod ei nain wedi cloi drws y gegin. Dyna bechod na fasa hi wedi gwneud yr un fath efo'r giât ochr! Ceisiodd Ffiffi ddyfalu faint o'r sgwrs a glywodd y ditectif honedig. Gormod – doedd dim amheuaeth am hynny! Gwthiodd Ffiffi'i thystiolaeth newydd i mewn i'r ffolder HELYNT Y TWLL YN Y WAL.

'Brysiwch! Y drws ffrynt!' gwaeddodd Lowri.

Cyrhaeddodd Anwen y drws o flaen y lleill. Ceisiodd ei agor, ond roedd ei bysedd yn rhy chwyslyd. Llithrodd y ddolen trwy ei bysedd sawl tro cyn agor. Yno safai Lewis Morris.

'Anwen . . .' anogodd Lowri'n daer.

Ceisiodd Anwen wthio'r drws ynghau. Rhoddodd Lewis ei droed i mewn a'i wthio ar agor eto.

'Helpwch fi! Brysiwch!' gwichiodd Anwen. Gwthiodd â'i holl nerth yn erbyn y drws. Ymddangosodd llaw Lewis o'r tu draw i'r drws i geisio gafael ynddi. Lluchiodd Ffiffi'i hun yn erbyn y drws i helpu Anwen. Rhegodd Lewis fel cath wrth iddo geisio gwthio'n ôl.

'Lowri, brysia! Gwna rywbeth!' ysgyrnygodd Ffiffi'n wallgo.

Dyrnodd Lowri yn erbyn bysedd Lewis gan neidio ar ei droed ar yr un pryd. Tynnodd yntau ei law a'i droed ymaith ar unwaith, gan weiddi rhes o eiriau ansbaridigaethus na fyddai nain Ffiffi yn eu cymeradwyo. Caeodd y merched y drws yn glep.

CRASH! CRYNSH!

Clywyd sŵn gwydr yn cael ei dorri yn dod o gyfeiriad y gegin.

'I fyny'r grisia! Rŵan!' tynnodd Lowri ar fraich Ffiffi. Tynnodd Ffiffi Anwen ar ei hôl.

'Mae Ditectif Williams yn dod i mewn drwy ffenest y gegin!' Crynai llais Anwen.

'Dyna pam 'dan ni'n rhedeg, Anwen!' meddai Lowri a'i gwynt yn ei dwrn. 'Ty'd yn d'laen!'

Safodd y tair yn stond ar y landin, gan edrych o gwmpas yn wyllt am rywle i guddio.

'Rhaid inni wahanu!' sibrydodd Ffiffi'n frysiog.

Gwasgarodd y tair fel crychau ar bwll dŵr. Plymiodd Ffiffi i'w llofft, gan gau'r drws yn glep ar ei hôl. Am y tro cyntaf erioed, gofidiodd nad oedd ganddi glo ar ei drws. Gan afael yn y ffolder HELYNT Y TWLL YN Y WAL yn dynn yn ei mynwes, trodd Ffiffi'i phen yn gyflym i'r chwith ac i'r dde. Ble allai hi roi'r ffolder fel na allai'r herwgipwyr ddod o hyd iddo? A ddylai hi ei daflu allan? Na, fyddai hynny ddim yn tycio. Bydden nhw'n dod o hyd iddo ar y lawnt.

Meddylia. *Meddylia.*

Y tâp gludiog . . . ble'r oedd ei thâp gludiog? Yn ei phoced. Diolch i Dduw! Rhedodd Ffiffi draw at ei gwely. Gollyngodd y ffolder ar y dillad gwely a thynnodd y tâp gludiog allan o'i phoced. Roedd yr herwgipwyr yn y cyntedd. Roedden nhw ar waelod y grisiau.

'ARHOSWCH CHI NES I NI'CH DAL CHI'R TACLA . . .' gwaeddodd Lewis.

Torrodd Ffiffi ddarn o dâp gludiog, ac un arall ac un arall, gan daflu pob darn ar y gwely. Fe gydiodd un darn mewn un arall, ond doedd ganddi hi ddim amser i'w sythu allan. Daliodd Ffiffi'r ffolder mewn un llaw, gan ddefnyddio'i llaw arall i osod y tâp gludiog yn ei le. Defnyddiodd sawl darn o'r tâp . . .

Roedd sŵn traed trwm yn agosáu.

Hongiai'r ffolder yn simsan. Roedd yn edrych yn rhy drwm i'r tâp gludiog. Torrodd Ffiffi ddarn arall o dâp.

Sŵn traed ar y landin.

Plymiodd Ffiffi i gyfeiriad y ffenest. Doedd ganddi ddim amser i ddefnyddio'r pedwerydd darn o dâp gludiog ond doedd hi ddim am i'r herwgipwyr wybod ble'r oedd hi wedi cuddio'r ffolder.

Paid â syrthio! O plîs, paid â syrthio! meddyliodd, a'i chorff i gyd yn crynu'n ddi-baid. Roedd wedi glynu'r ffolder y tu ôl i'r pen gwely, ond erbyn hyn roedd hi'n difaru ei bod wedi gwneud hynny. Doedd o ddim yn glynu. Doedd dim *posib* iddo lynu.

Ymbalfalodd Ffiffi efo cliced y ffenest. Doedd dim modd ei hagor. Roedd hi'n fodiau i gyd ac ni allai agor y ffenest.

'O plîs . . .' ymbiliodd Ffiffi ar y ffenest.

Hyrddiwyd drws ei llofft ar agor. Agorodd Ffiffi ei cheg led y pen.

'Help!' sgrechiodd.

'Sgrechia di unwaith eto, a weli di fyth mo dy dad eto!' Safai Lewis Morris yn y drws, a'i wyneb fel taran.

Pylodd sgrech Ffiffi yn ei gwddf.

'Ble mae Dad?' sibrydodd.

'Dyna welliant. Dyna welliant mawr. IWAN, DWI 'DI CAEL 'I FERCH O!' gwaeddodd Lewis ar ei ffrind. 'Ac mi gymera i'r ffolder bach 'na sy'n dal ein holion bysedd ni.'

'Faint callach fyddwch chi? Allwch chi ddim herwgipio'r tair ohonan ni,' meddai Ffiffi yn biwis.

'Dydan ni ddim yn bwriadu gneud hynny,' meddai Lewis yn feddal. 'Dim ond y chdi 'dan ni isio. Mi glown ni'r lleill yn rhywle. Pan ddalltith dy dad ein bod ni 'di dy ddal di, mi gallith, siawns, a deud wrthan ni be 'dan ni isio'i wybod.'

Rhewodd pob diferyn o waed yng nghorff Ffiffi. Roedd ofn yn cnoi yn ei stumog.

Meddylia, Ffiffi, *meddylia*, dywedodd wrthi ei hun.

Roedd yn rhaid iddi gadw'i phen. Roedd yn rhaid iddi ddod o hyd i ffordd i dwyllo'r dihirod yma. Meddylia!

'Mae'r heddlu'n gwybod eich bod chi wedi herwgipio Dad. Does dim modd i'ch cynllwyn chi lwyddo,' meddai Ffiffi.

'Dydi'r heddlu'n gwybod dim am dy dad, nac amdanat ti, nac am yr osgiliadur anwytho. Mi roist ti'r llythyr i'r "Ditectif" – wyt ti'n cofio? Ac erbyn iddyn nhw ddarganfod y gwir, mi fydd hi'n rhy hwyr.' Roedd crechwenu Lewis yn rhy erchyll i'w wylio.

Meddylia . . .

'M–mae llythyr gwreiddiol Dad at y gymdeithas adeiladu yn egluro popeth am yr osgiliadur anwytho. Cyn gynted ag y bydd yr heddlu . . .' Rhewodd y geiriau cyn diflannu oddi ar wefusau Ffiffi. 'Mae'r llythyr 'na gynnoch chi hefyd, yn dydi? Mi fetia i ei fod o 'di mynd yn syth i mewn i'ch poced chi – yn ogystal â'r pum mil a mwy o bunna 'na.'

Gwenodd Lewis. 'A dim ond y dechra ydi'r pum mil 'na. 'Dan ni'n mynd i neud miliyna. Mi ddeudodd Iwan dy fod ti'n glyfar. Ti'n debyg i dy dad.' Pylodd ei wên yn sydyn. 'Ond mae'n bosib bod yn rhy glyfar'.

'Felly dydi'r gymdeithas adeiladu ddim yn gwybod dim byd am hyn?' sibrydodd Ffiffi.

'Tasa dy dad 'di mynd mor bell â theipio rhif 'i gerdyn o i mewn, yna mi fasa'n stori wahanol. Ond fel mae hi . . .' Chwarddodd Lewis. 'Mi ddylet ti fod wedi'u gweld nhw, y rheolwyr a'r staff diogelwch i gyd yn rhedeg o gwmpas y lle 'di colli'u penna'n lân wrth drio dyfalu i ble diflannodd yr holl arian. Y cwbl maen nhw'n feddwl ydi bod y peiriant wedi hurtio'n lân ar ryw amser arbennig ac wedi tywallt yr arian allan ar hyd y pafin.'

Cofiodd Ffiffi'n awr. Doedd hi ddim wedi cael cyfle i roi cerdyn ei thad i mewn yn y twll yn y wal. Roedd hi'n archwilio'r cerdyn i wneud yn siŵr fod ei thad wedi dod â'r un cywir efo fo, a'i fod yn dal yn ddilys.

'Efo dyfais dy dad, rydan ni'n bwriadu achosi penbleth i sawl banc a chymdeithas adeiladu ar hyd a lled y wlad.'

'Ond . . .'

Torrwyd ar draws Ffiffi gan sŵn Anwen yn gweiddi, yna ei llais blin yn sgrechian, 'Gadewch lonydd i mi. Yr *eiliad* 'ma!'

'Anwen . . .' Camodd Ffiffi ymlaen.

Symudodd Lewis tuag ati gan ei rhwystro rhag mynd gam ymhellach.

'Gwrandwch,' meddai Ffiffi'n gyflym. 'Dydach chi ddim isio fi na Dad. Dim ond isio gwybod sut mae'r osgiliadur anwytho'n gweithio ydach chi.'

'Ond mae dy dad di'n styfnig fel mul,' meddai Lewis yn oeraidd. 'Mae o'n gwrthod deud wrthan ni sut mae o'n gweithio. Felly mi rwyt ti'n mynd i'w berswadio fo i ni.'

'O–ond dwi 'di deud wrthach chi. Mae nodiada Dad ar y ddyfais un ai yn ei lofft o neu yn yr atig. Mi gymerith hi lai na deng munud i chi ddod o hyd iddyn nhw. Wedyn fydd dim angen Dad na finna arnoch chi. Fydd dim rhaid i chi drafferthu efo ni. Dim ond eich arafu chi fasan ni.' Ceisiodd Ffiffi arafu llif y geiriau oedd yn byrlymu allan ohoni ynghynt ac ynghynt. Roedd yn rhaid iddi beidio â chynhyrfu. Roedd yn rhaid iddi allu ei argyhoeddi.

'Dwi'n gwrando,' meddai Lewis gan ei hannog i gario 'mlaen.

'Mae papura Dad yn egluro popeth ynglŷn â sut mae'r osgiliadur yn gweithio. Mi allwch chi fynd â'r papura a'r osgiliadur a bod allan o Lanfair o fewn chwarter awr. Wedyn fydda 'na neb i'ch rhwystro chi rhag lladrata arian allan o gymaint o dylla yn y wal ag y mynnwch chi. Ac erbyn i Dad adeiladu un arall a dangos i'r heddlu sut mae o'n gweithio, mi fyddwch chi'n filionêrs. *Silionêrs*!'

'Hmm!' rhwbiodd Lewis ei ên, oedd bellach wedi'i heillio'n lân.

Clywyd sgrech yn atseinio ar hyd y landin.

''Rhoswch chi'r mwnci pric!' swniai llais Lowri'n wallgo yn ogystal ag yn llawn braw. ''Rhoswch chi nes deuda i wrth Dad! Gadwch lonydd i mi!'

Ymddangosodd Iwan Williams, efo Lowri wedi'i dal yn un fraich ac Anwen yn y llall.

'Lewis, er mwyn popeth,' meddai Iwan. 'Be dwi i fod i neud efo'r ddwy g'lomen 'ma?'

'Mae'r papura yma, wir yr, maen nhw. Dwi ddim

yn deud celwydd,' meddai Ffiffi'n daer. 'M–mi gewch chi'n cloi ni i gyd yng ngweithdy Dad tra'ch bod chi'n chwilio, os nad ydach chi'n 'y nghoelio i. Mi ddeudis i gelwydd ynglŷn â bod Nain 'di mynd â'r goriad efo hi: wnaeth hi ddim. Felly mi gewch chi'n cloi ni yno a fyddwn ni ddim yn gallu mynd allan, hyd yn oed os basan ni'n trio. Os rhowch chi'r clo clap ar y drws mi fasach chi'n dawel eich meddylia na fasan ni'n gallu dianc, ac mae'r twll yn y to'n rhy uchel i ni ei gyrraedd o, hyd yn oed os basan ni'n sefyll ar ben y bwrdd. Os na fyddwch chi 'di dod o hyd i bapura Dad o fewn pum munud, yna mi gewch chi fynd â fi efo chi i berswadio Dad i newid ei feddwl.'

'Mi fedrwn ni fynd â chdi'n ôl efo ni rŵan a rhoi diwedd arni,' meddai Iwan mewn llais cras.

Syllodd Ffiffi arno. Sut y gallai hi erioed fod wedi meddwl ei fod o'n dditectif? Yn y dyfodol, fyddai *neb* yn cael croesi'r trothwy heb ddangos cerdyn adnabod iddi'n gyntaf.

'Na, Iwan, dwi 'di cael llond bol ar loetran o gwmpas. Rydan ni wedi gorfod symud ei thad hi i dy dŷ di'n barod. Dwi isio'i heglu hi o Lanfair 'ma efo'r osgiliadur a dechra cael 'y macha ar bres go iawn,' meddai Lewis. 'Dyna oedd y fargen.'

'Ond beth am y tair yma?' gofynnodd Iwan.

'Mae'r osgiliadur gynnon ni yn y car yn barod, felly mi ddown ni o hyd i'r cyfarwyddiada a'i heglu hi! Dydi o ddim blewyn o bwys gen i am y tair 'ma. Mi glown ni nhw'n y gweithdy 'na.'

'Beth am 'i thad hi?' nodiodd Iwan i gyfeiriad Ffiffi.

'Mi fydd o'n ddigon diogel yn dy selar di. Erbyn i rywun ddod o hyd iddo fo, mi fyddwn ni 'di hen fynd,' meddai Lewis.

'Dwi'm yn gwybod . . . dwi ddim yn lecio hyn . . .' meddai Iwan yn araf.

'Gwranda! Hira yn y byd arhoswn ni'n fan hyn, tebyca yn y byd ydan ni o gael ein dal. Dwi isio mynd o'r twll lle 'ma cyn gynted ag y bo modd,' meddai Lewis yn flin. 'Mae'n well i ni ddeng munud yn fan'ma rŵan na deugain munud yn gyrru'n ôl i dy dŷ di a gwastraffu mwy o amser yn trio perswadio tad hon i siarad efo ni.'

'Wnewch chi 'y ngollwng i?' gwylltiodd Lowri.

Roedd Anwen a Lowri'n dal i stryffaglu i ddod yn rhydd. Ni feiddiai Ffiffi anadlu bron. Roedd am iddi hi a'i ffrindiau fynd o olwg yr herwgipwyr. Roedd hi *angen* cael ei chloi yng ngweithdy'i thad.

'Y cyfarwyddiada 'ma . . .' trodd Lewis at Ffiffi, a'i lygaid yn culhau mewn amheuaeth. 'Fyddwn ni'n eu deall nhw?'

'O byddwch, siŵr iawn. Mae Dad wastad yn sgwennu'i nodiada fel y gall unrhyw ffŵ . . . fel y gall unrhyw un eu deall nhw. Taswn i 'di gweld ei nodiada fo fy hun, mi faswn i'n gallu deud wrthach chi sut mae'r osgiliadur yn gweithio. Dwi jest isio i chi'ch dau fynd o 'ma,' meddai Ffiffi. 'Ac fel deudis i, os na ddowch chi o hyd iddyn nhw, mi fedrwch chi wastad ddod i'm nôl i.'

'Wel, os na ddown ni o hyd iddyn nhw, neu os down ni o hyd i'r cyfarwyddiada a bod angen i rywun fod â gradd mewn mathemateg i'w deall nhw, mi fydda i'n andros o flin efo chdi am wastraffu'n hamser ni,' meddai Lewis, 'Wyt ti'n deall? *Yn andros o flin.*'

'D . . . dwi'n deall.' Llyncodd Ffiffi ei phoer.

Brasgamodd Lewis ati a bachu ei garddwrn. 'Well i ti ddeud wrth dy ffrindia am fihafio hefyd. Dwi ddim isio rhyw gymydog busneslyd yn galw'r heddlu am ei fod o 'di'ch gweld chi'ch tair yn stryffaglio.'

'Anwen, Lowri, plîs,' ymbiliodd Ffiffi.

Gadawodd Iwan Lowri ac Anwen yn rhydd a chamodd yn ei ôl i'w rhwystro rhag mynd trwy'r drws. Rhythodd y ddwy ar y ddau ddyn, ac yn arbennig ar Iwan. Blinciodd Ffiffi ei llygaid yn gyflym arnynt. Roedd yn rhaid iddi wneud iddyn nhw ddeall. Roedd yn rhaid iddyn nhw ufuddhau i herwgipwyr ei thad – am y tro beth bynnag.

Dilynodd y dynion Ffiffi, Anwen a Lowri allan o'r tŷ. Roedd calon Ffiffi'n barod i ffrwydro allan o'i chorff. Roedd ei cheg yn sych, a'i chledrau'n chwys domen. Yn yr ardd, trodd at Iwan.

'P . . . pam ddaru chi ddim chwilio drwy'r tŷ am nodiada Dad neu am gynllunia'r osgiliadur pan oeddach chi'n smalio bod yn dditectif?' gofynnodd. Trwy gydol yr adeg, crwydrai llygaid Ffiffi tuag at dŷ ei chymydog.

Atebodd Lewis cyn i'w gynorthwywr gael cyfle. 'Achos doeddan ni ddim ar ôl y rheini. Roeddan ni isio dy ddal di o'r dechra un,' bytheiriodd. 'Ond doeddat ti byth ar dy ben dy hun i ni gael gafael arnat ti.'

'A fedrwn i ddim mentro chwilio trwy'r tŷ eto rhag ofn i dy nain neu chditha ddechra amau rhywbeth a gofyn am weld 'y ngherdyn adnabod i i'w archwilio fo eto,' meddai Iwan yn oeraidd. 'Ond rŵan does gynnon ni ddim dewis. Rydach chi'ch tair yn gwybod pwy ydan ni go iawn rŵan, felly 'dan ni'n mynd i gymryd nodiada dy dad a diflannu.'

'Felly mae'n well inni ddod o hyd iddyn nhw – a hynny'n fuan,' meddai Lewis gan edrych yn syth ar Ffiffi. 'Ac os wyt ti'n chwara tricia . . .' Doedd dim angen iddo ddweud mwy.

Plannodd Ffiffi ei hewinedd yng nghledrau ei dwylo gan ei gorfodi'i hun i gerdded ar yr un cyflymder ag o. Ni feiddiai wneud dim a fyddai'n gwneud iddyn nhw amau ei bod hi'n cynllunio rhywbeth. Faint o amser fyddai ganddi cyn iddyn nhw ddod yn eu holau i'r gweithdy i'w nôl hi? A fyddai ganddi ddigon o amser . . .?

Lai na munud yn ddiweddarach, roedd y tair ohonynt dan glo yn y gweithdy – ar ôl i Iwan wneud yn siŵr nad oedd modd iddyn nhw gyrraedd y twll yn y to wrth sefyll ar y bwrdd yno.

Pan glywodd Ffiffi'r goriad yn cloi'r clo clap ar y drws, rhoddodd ochenaid o ryddhad a phwyso yn erbyn y drws pren cadarn am eiliad.

'Brysiwch, chi'ch dwy,' hisiodd. 'Does gynnon ni ddim llawer o amser. Mi fyddan nhw'n eu hola'n fuan.'

'Oes gen ti gynllun?' gofynnodd Anwen yn eiddgar.

'Oes, wrth gwrs fod gen i un. 'Dach chi ddim yn meddwl 'mod i'n mynd i adael i'r rheina ddianc heb gael eu cosbi, ydach chi?' meddai Ffiffi'n flin. 'Ond ro'n i angen iddyn nhw'n rhoi ni yng ngweithdy Dad yn gynta.'

''Dan ni yma rŵan – felly be 'dan ni am neud?' gofynnodd Lowri.

'Rhaid i ni dynnu'r tarpolin 'na i lawr. Anwen, dos i sefyll ar y bwrdd ac mi basia i'r brws 'ma i chdi. Diolch byth fod Nain 'di bod yn tacluso'r lle neu fasan ni byth yn gallu dod o hyd i bopeth 'dan ni ei angen cyn i'r ddau lembo 'na ddod yn eu hola,' meddai Ffiffi. 'Lowri, dos i nôl 'chydig o fandia 'lastig o'r drôr ucha – rhai cry', trwchus. A rho rai o'r bisgedi anifeilaidd 'na oedd Dad yn arbrofi efo nhw'r diwrnod o'r blaen yn rhes ar y bwrdd.'

'Iawn!' gwenodd Lowri.

Aeth sawl munud poenus, gofidus heibio cyn i Anwen, o'r diwedd, lwyddo i symud y tarpolin o'r neilltu. Neidiodd i lawr o ben y bwrdd.

'Dyna'r bandiau 'lastig a'r bisgedi'n barod,' meddai Lowri. 'Be nesa?'

'Hongia lwythi o stribedi o dâp gludiog o ffrâm y drws i lynu yn eu hwyneba nhw. A rydan ni angen rhywbeth i'w baglu nhw pan ddôn nhw i mewn,' meddai Ffiffi. 'Mi osodwn ni'r bylbia 'na allan yn rhes hefyd. Mi fyddan nhw'n arfa perffaith i daflu atyn nhw.'

Un arall o gynlluniau'i thad oedd dyfeisio bylb golau sy'n para am byth. Doedd o ddim wedi llwyddo – eto – ond roedd ganddo ddigon o fylbiau yn ei weithdy i oleuo'r tŷ cyfan am y deng mlynedd nesaf o leiaf.

Prysurodd pawb, gan estyn unrhyw beth y gellid ei ddefnyddio fel arfau.

'Y peth pwysica i neud ydi cadw digon o sŵn,' meddai Ffiffi, gan edrych i lawr ar ei horiawr yn ofidus. 'Ydi'r bisgedi anifeilaidd 'na'n barod? Lowri, mi rwyt ti a minna'n mynd i roi band 'lastig rhwng ein bysedd a'i ddefnyddio fo fel catapwlt.'

'Dwi'n gweld. 'Dan ni'n mynd i daflu'r bisgedi anifeilaidd 'ma!' meddai Lowri.

'Yn union. Ac Anwen, mi gei di sefyll ar yr ochr 'na a'u taro nhw efo coes y brws yr eiliad y dôn nhw i mewn drwy'r drws. Yna tyrd yn d'ôl i fan'ma a dechra taflu'r bylbia 'ma, a beth bynnag arall leci di atyn nhw.'

'Fi sy'n cael y jobsys gora bob amser,' gwenodd Anwen wrth godi coes y brws yn eiddgar.

'Lowri, tria daflu rhai o'r bisgedi anifeilaidd 'na allan drwy'r twll yn y to hefyd,' meddai Ffiffi.

'Pam . . .?' dechreuodd Lowri.

'Ust! Dwi'n meddwl eu bod nhw'n dod yn eu hola,' hisiodd Anwen.

Distawodd pawb ar unwaith. Clywid sŵn traed yn crensian ar y gwair sych yn yr ardd. Aeth Anwen i'w safle wrth y drws. Roedd Lowri a Ffiffi yn barod efo'u catapwltau. Doedd Ffiffi ddim yn meiddio anadlu, bron, rhag ofn iddi adael y gath allan o'r cwd.

Dyma ni . . .

Trodd y goriad yn y clo clap. Agorodd y drws.

'Reit 'ta, Ffion Owen. Mi wnes i dy rybuddio di . . .!'

'RŴAN!' gwaeddodd Ffiffi.

TWANG!

Sbonciodd y 'lastig yn nwylo'r merched. Chwibanodd y bisgedi anifeilaidd trwy'r awyr tuag at y ddau ddyn. Hedfanodd un uwch eu pennau cyn ffrwydro. Tarodd y llall Lewis yn ei frest cyn ffrwydro. BWWWWWWM! BWWWWWWWWM!

'Be ar y ddaear . . .' ebychodd Iwan gan geisio osgoi'r taflegrau.

Bachodd Anwen ei chyfle, tra oedd Lewis yn ymladd efo'r stribedi o dâp gludiog ac Iwan yn dowcio o ffordd bisgïen ffrwydrol arall.

'Cym'ra honna!' gwaeddodd Anwen, wrth daro Lewis ar draws ei stumog efo coes y brws.

'A honna!' sgrechiodd wedyn, gan anelu'n is er mwyn taro Iwan ar draws ei goesau.

'Amdanyn nhw!' gwaeddodd Lowri, gan lwytho'i chatapwlt unwaith eto.

'Anwen, dos yn d'ôl!' gwaeddodd Ffiffi uwchben yr holl ffrwydradau oedd yn frith o'u cwmpas.

Parhaodd Anwen i'w waldio efo coes y brws. Ceisiodd Lewis droi arni'n ffyrnig. Gan wichian yn uchel, neidiodd Anwen allan o'i afael, cyn rhedeg yn ôl at ei ffrindiau.

'Argol! Am dwrw!' gwaeddodd Anwen uwchben sŵn ffrwydrad arall.

'Dyna'r holl syniad!' gwaeddodd Ffiffi'n ôl. 'Os na fydd hyn yn ddigon i wneud i Mr MacDonald ruthro at ei ffôn i ffonio'r heddlu, d'wn i ddim be 'neith.'

'Y dyn drws nesa?' gwaeddodd Anwen, yn ddryslyd. 'Wrth gwrs. Dyna wnaeth o fygwth fore Gwener.'

'Ti 'di'i dallt hi!' gwenodd Ffiffi. 'Rho fwy nag un bisgïen ar y tro! RŴAN!'

Roedd y sŵn yn diasbedain dros yr ardd, fel byddin o ynnau mawr yn tanio ar yr un pryd.

BŴŴŴŴŴŴŴMMM!

Ffrwydrodd pedair neu bum bisgïen anifeilaidd un ar ôl y llall.

''Falla fod gan Dad syniada go od ynglŷn â sut i goginio bisgedi, ond mae o'n dallt 'i ffrwydrada'n iawn!' gwaeddodd Ffiffi'n llawn balchder.

''Rhoswch chi ferched!' gwaeddodd Lewis, gan ddowcio i osgoi fflyd o fisgedi anifeilaidd oedd yn dod yn syth amdano.

'Ges i chdi!' Neidiodd Anwen mewn gorfoledd wrth i fylb daro Iwan reit ar ganol ei dalcen.

Un ar ôl y llall, llwythodd Ffiffi a'i ffrindiau'r bisgedi yn y catapwltau a'u hanelu at y dynion, ynghyd ag unrhyw beth arall oedd o fewn gafael iddyn nhw. Doedd dim modd i Lewis nac Iwan fynd yn agos atynt.

'Lewis, gad iddyn nhw. Well i ni ddiflannu cyn i . . .'

Ond roedd hi'n rhy hwyr. Roedd Mr MacDonald ar ei ffordd i fyny llwybr yr ardd.

'Be sy'n mynd ymlaen 'ma?' bytheiriodd Mr MacDonald. 'Gadewch i mi ei gwneud hi'n hollol glir 'mod i 'di galw'r heddlu. Mi rybuddiais i chi . . .'

'MR MACDONALD, HELPWCH NI! STOPIWCH NHW! MAEN NHW 'DI HERWGIPIO DAD!' sgrechiodd Ffiffi drosodd a throsodd.

Ceisiodd Lewis ac Iwan ddianc, ond doedd

ganddyn nhw ddim gobaith. Dim ond cip sydyn ar yr olwg daer ar wyneb Ffiffi oedd ei angen ar Mr MacDonald i wybod fod *rhywbeth* od yn mynd ymlaen. Ceisiodd Lewis hyrddio heibio iddo. Gwthiodd Mr MacDonald ei droed allan a'i faglu, yna fe ddisgynnodd yn drwm ar ben Lewis fel rhyw fath o wreslwr. Rhedodd Anwen a Lowri ar ôl Iwan. Neidiodd Lowri ar ei gefn, gydag Anwen yn ei waldio ar ei goesau efo coes brws. Suddodd Iwan ar ei liniau mewn poen. Rhuthrodd Ffiffi draw at Mr MacDonald, yn barod i'w helpu efo Lewis, ond doedd dim angen fawr o gymorth arno! Eisteddai'n drwm ar Lewis, a breichiau hwnnw wedi'u plethu y tu ôl i'w gefn.

Trodd Mr MacDonald ei ben, a gwg ddofn ar ei wyneb. 'Ffion, fasa chi'n malio deud wrtha i be ar y ddaear sy'n mynd ymlaen yma?'

Chwarter awr yn ddiweddarach, roedd Lowri, Anwen a Ffiffi yn eistedd yn y gegin, yn egluro wrth Sarsiant Jones beth yn union oedd wedi digwydd.

'Ro'n i'n gobeithio gymaint y basa Mr MacDonald yn ffonio'r heddlu,' meddai Ffiffi. 'Do'n i ddim am i Lewis ac Iwan ddianc.'

'Peidiwch â phoeni. Maen nhw ar eu ffordd i orsaf yr heddlu,' gwenodd Sarsiant Jones. 'Fyddan nhw ddim yn mynd i nunlle ar frys.'

Roedd Ffiffi eisiau mynd efo'r heddlu i dŷ Iwan

Williams i nôl ei thad, ond doedd Sarsiant Jones ddim yn fodlon.

'Mae'n well i chi aros yma,' meddai. 'Dwi'n siŵr y gallwch chi'ch tair neud y tro â seibiant bach!'

Treuliodd Ffiffi'r amser yn gwrando ar gloc y lolfa'n tician. Roedd pob eiliad yn teimlo fel awr.

'Mae'r holl aros 'ma'n fy ngyrru i'n wallgo,' cyfaddefodd Ffiffi wrth Lowri ac Anwen. 'Be os bydd Dad . . .'

'Paid â meddwl fel 'na,' meddai Lowri'n gadarn. 'Mae dy dad ar 'i ffordd adre rŵan ac mi fydd o'n iawn.'

'Ydi, siŵr iawn ei fod o,' cytunodd Anwen. 'Dwi jest yn gwybod 'i fod o.'

Ac roedd hi'n iawn hefyd. Awr a deng munud yn ddiweddarach, agorodd y drws ffrynt.

'Ffiffi! Ffiffi, wyt ti yma?'

'DAD!' sbonciodd Ffiffi i fyny o'r soffa cyn i neb allu ei rhwystro. Rhedodd allan i'r cyntedd a thaflu ei hun at ei thad. Edrychai'n flinedig iawn ond yn hapus iawn, iawn.

'O Dad, dwi 'di bod yn poeni'n ofnadwy amdanoch chi,' sniffiodd Ffiffi.

'Mae popeth drosodd,' gwenodd ei thad. 'Dwi adre rŵan. Ac mae'r heddlu'n deud wrtha i mai i ti mae'r diolch am hynny.'

'A Lowri ac Anwen. Faswn i ddim 'di llwyddo hebddyn nhw,' meddai Ffiffi, gan wenu ar ei ffrindiau oedd wedi'i dilyn i'r cyntedd.

'Diolch, Lowri,' meddai ei thad wrth Lowri, yna trodd at Anwen, 'a diolch i chditha, Anwen. Wna i ddim anghofio hyn.'

'Croeso mawr i chi, Mr Owen!' gwenodd Anwen, gan sniffio i arbed ei llygaid rhag dyfrio.

'Ie. Croeso!' ymbalfalodd Lowri am ei geiriau.

Agorodd y drws ffrynt unwaith eto.

'Be goblyn sy'n mynd ymlaen 'ma? Pam fod yr holl bobol 'ma'r tu allan? Ffion, dwi'n gobeithio . . .' rhewodd Nain wrth iddi weld ei mab. 'Daniel. Daniel . . .' Sgrialodd tuag ato mewn chwinciad chwannen! Cofleidiodd ei mab mor dynn nes gwneud iddo besychu. 'Daniel, mi ddylwn i dy waldio di efo'r bag llaw 'ma! Wyt ti'n iawn? Dwi 'di bod yn poeni f'enaid amdanat ti, cofia.'

'Dwi'n iawn, Mam,' gwenodd tad Ffiffi. 'Dwi adre rŵan.'

'Dwi'n gobeithio fod hyn yn golygu na fydd 'na ragor o ddyfeisio petha'n mynd ymlaen 'ma,' meddai Nain yn gadarn.

'Peidiwch â malu awyr!' wfftiodd tad Ffiffi. 'A deud y gwir, pan o'n i dan glo, mi ges i amser i feddwl am un neu ddau o syniada newydd am ambell i declyn bach reit ddefnyddiol.'

'Ro'n i'n ofni hynny,' ochneidiodd Nain. Tynnodd ei hun oddi wrtho, yna gwenodd a dweud, 'Dwi'n mynd i roi'r tegell ar y stôf. Dwi'n siŵr y gallwn ni i gyd neud â phaned bach o de. O ia, paid â gwylltio, ond dwi 'di tacluso'r gweithdy 'na. Roedd 'na goblyn o lanast yno, wir!'

'Wna i ddim gwylltio, Mam,' gwenodd tad Ffiffi. 'Dwi'n rhy falch o gael bod adre.'

'Os rhywbeth, mi ddylet ti ddiolch i mi am yr holl waith dwi 'di neud,' meddai Nain, gan anelu am y gegin. 'Welis i erioed y fath lanast yn nunlle yn fy nydd. Roedd y tŷ'n llanast. Roedd y gweithdy 'na'n waeth . . .' Cerddodd i'r gegin gan ddal i bregethu o dan ei gwynt.

Edrychodd Ffiffi a'i thad ar ei gilydd.

'Swnian! Swnian! Swnian!' sibrydodd y ddau fel deuawd.

Ymddangosodd pen Nain o'r tu ôl i ddrws y gegin.

'Mi glywis i hynna!' meddai gan wenu.

TEITLAU ERAILL YNG NGHYFRES CLED

Rhannwyd y gyfres yn dri grŵp wedi'u graddoli yn ôl iaith a chynnwys a nodir hynny gydag un, dau neu dri nod.

● *'Tisio Bet?* Emily Huws (Gomer)
● *'Tisio Sws?* Emily Huws (Gomer)
● *'Dwisio Dad* Emily Huws (Gomer)
● *'Dwisio Nain* Emily Huws (Gomer)
● *Piwma Tash* Emily Huws (Gomer)
● *Tash* Emily Huws (Gomer)
● *Gags* Emily Huws (Gomer)
● *Jinj* Emily Huws (Gomer)
● *Tic Toc* Emily Huws (Gomer)
● *Strach Go-Iawn* Emily Huws (Gomer)
● *Nicyrs Pwy?* Emily Huws (Gomer)
● *'Sgin ti Drôns?* Emily Huws (Gomer)

●● *Canhwyllau* Emily Huws (Gomer)
●● *Dwi'n* ❤ *'Sgota* Emily Huws (Gomer)
●● *Dwi Ddim yn* ❤ *Balwnio* Emily Huws (Gomer)
●● *Ydw i'n* ❤ *Karate?* Emily Huws (Gomer)
●● *Ydi Ots?* Emily Huws (Gomer)
●● *Modryb Lanaf Lerpwl* Meinir Pierce Jones (Gomer)
●● *Iechyd Da, Modryb!* Meinir Pierce Jones (Gomer)
●● *Y Gelyn ar y Trên* T. Llew Jones (Gomer)
●● *Craig y Lladron* Ioan Kidd (Gomer)
●● *Os Mêts, Mêts* Terrance Dicks/Brenda Wyn Jones (Gomer)
●● *Tân Gwyllt* Pat Neill/Dic Jones (Gomer)
●● *Delyth a'r Tai Haf* Pat Neill/Dic Jones (Gomer)
●● *Adenydd Dros y Môr* Pat Neill/Dic Jones (Gomer)

●● *Cathreulig!* M. Potter/Gwenno Hywyn (Gwynedd)
●● *Haf y Gwrachod* Andrew Mathews/Siân Eleri Jones (Gwynedd)
●● *Lleuwedd* D. Wiseman/Mari Llwyd (Gomer)
●● *Sothach a Sglyfath* Angharad Tomos (Y Lolfa)
●● *Y Mochyn Defaid* Dick King-Smith/Emily Huws (Gomer)
●● *Rêl Ditectifs!* Mair Wynn Hughes (Gomer)
●● *Yr Argyfwng Mawr Olaf* Betsy Byars/Meinir Pierce Jones (Taf)
●● *Lloches Ddirgel* Theresa Tomlinson/Sioned Puw Rowlands (Gwynedd)
●● *Mwy Nag Aur* Meinir Wyn Edwards (Honno)
●● *Y Dyn â'r Groes o Haearn* J. Selwyn Lloyd (Gwynedd)
●● *Tân Poeth* Penri Jones (Dwyfor)
●● *Fe Ddaeth yr Awr* Elfyn Pritchard (Gomer)
●● *Y Defaid Dynion* Siân Lewis (Gomer)
●● *Gwe Gwenhwyfar* E. B. White/Emily Huws (Gomer)
●● *Wham-Bam-Bang!* Dick King-Smith/Emily Huws (Gomer)
●● *Myrddin yr Ail* Hilma Lloyd Edwards (Y Lolfa)
●● *Crockett yn Achub y Dydd* Bob Eynon (Dref Wen)
●● *Castell Marwolaeth Boenus ac Erchyll* Rolant Ellis (Y Lolfa)
●● *W-wff!* Alan Ahlberg/Brenda Wyn Jones (Carreg Gwalch)
●● *Cyfrinach y Mynach Gwyn* Eirlys Gruffydd (Gomer)
●● *Mêts o Hyd* Terrance Dicks/Brenda Wyn Jones (Gomer)
●● *Cuthbert Caradog* Alys Jones (Gwynedd)
●● *Bwli a Bradwr* Brenda Wyn Jones (Gwynedd)

●●● *Pen Cyrliog a Sbectol Sgwâr* Gareth F. Williams (Y Lolfa)
●●● *Nefi Bliwl!* C. Sefton/Emily Huws (Gomer)
●●● *Magu Croen Rhag Poen* Mair Wynn Hughes (Gomer)
●●● *Yr Indiad yn y Cwpwrdd* L. R. Banks/Euryn Dyfed (Gomer)
●●● *Gan yr Iâr* Anne Fine/ Emily Huws (Gomer)
●●● *Hacio* Malorie Blackman/Gwenllïan Dafydd (Honno)

Hefyd gan Malorie Blackman:

HACIO

(addasiad Gwenllïan Dafydd)

Daw Ceri a Moi adre o'r ysgol un diwrnod i glywed bod eu tad wedi cael ei arestio; mae'r banc lle mae'n gweithio wedi ei gyhuddo o ddwyn dros filiwn o bunnoedd. Ond mae Ceri a Moi yn benderfynol o ddod at y gwir, hyd yn oed os ydi hynny'n golygu hacio i mewn i system gyfrifiadur y banc yng nghanol y nos . . .

Ond mae'r gwir leidr hefyd yn benderfynol o ddianc . . .

Cyhoeddwyr/Honno

ISBN 1-870206-31-2

£4.50